Chère lectrice,

Voici donc le [barcode obscures text] me votre collection Rouge… cerises ! Je vous donne d'abord rendez-vous au « 20, Amber Street », pour le troisième épisode des péripéties amoureuses de quatre filles d'aujourd'hui, qui partagent une adresse, un job… et toutes leurs confidences (1204). Que diriez-vous, ensuite, d'un *Pari sur un play-boy* (1201) ? Risqué, dites-vous ? Certes ! Mais dans un roman signé « Objectif : Séduction » que n'oserait-on pas ! Darlene, elle, n'hésite pas. Découvrez donc ce qui la motive… Et qu'est-ce qui motive Anna à cohabiter avec un certain Garrett dans un chalet au bord du lac ? Les exigences d'*Un drôle de testament* (1202) — ou comment transformer en cauchemar ce qui pourrait être un séjour idyllique (à moins que ce ne soit l'inverse ?…). Owen Chase participerait volontiers au festival du mariage. Seulement, il est momentanément en charge d'un bébé et d'une adolescente, ce qui freine un peu ses projets matrimoniaux. Mais avec *Un bébé porte-bonheur* (1203) on peut s'attendre à toutes sortes de bonnes surprises, non ? Un peu comme au cours de fiançailles arrangées : ainsi, *Fiancés pour 48 heures*, Olivia et Conal vont se découvrir des affinités qu'ils n'imaginaient même pas avoir (1205). Et pour finir, chère lectrice, jetez-vous donc avec Jillian dans *Une situation explosive* — vous ne serez pas déçue (1206) !

La Responsable de collection

Un bébé porte-bonheur

KRISTINE ROLOFSON

Un bébé porte-bonheur

COLLECTION ROUGE PASSION

Cet ouvrage a été publié en langue anglaise
sous le titre :
A WIFE FOR OWEN CHASE

Traduction française de
PATRICIA RADISSON

HARLEQUIN®

est une marque déposée du Groupe Harlequin
et Rouge Passion® est une marque déposée d'Harlequin S.A.

1.

— Owen Chase est l'homme de notre bonne ville de Bliss qui a le plus grand besoin d'une épouse, déclara Ella.

Descendante directe de Horace Bliss, le fondateur de la ville, Ella Bliss se targuait en outre d'être une marieuse hors pair. Elle posa sur la table le deux de trèfle.

Comme chaque jeudi, sa sœur Louisa et elles recevaient leurs amies pour la partie de bridge hebdomadaire. Mais ce jeudi du mois de novembre différait des autres : il marquait l'ouverture du festival de la ville, le festival du mariage.

— Owen doit être notre priorité, cette année, poursuivit-elle.

— Il existe des cas plus urgents, répliqua sa sœur d'un ton sec.

— Notre ville regorge de jeunes célibataires méritants, renchérit Missy Perkins d'une voix douce. Je ne sais sur qui nous jetterons notre dévolu cette année. Mais je suis sûre que nous trouverons pour chacun d'entre eux des candidates appropriées. Comme d'habitude.

Agée seulement de soixante-seize ans, Missy était la cadette du groupe. Elle en représentait aussi l'élément modérateur. Toujours prête à apaiser les conflits, à arrondir les angles.

— Je persiste à placer Owen tout en haut de notre liste, s'entêta Ella.

Lorsqu'elle avait une idée en tête, elle n'y renonçait jamais. En ce qui concernait Owen Chase, l'enjeu, pour elle, était particulier : elle avait connu sa grand-mère et sa mère toute sa vie. Pour elle, cela ne faisait aucun doute : ces deux femmes seraient heureuses de savoir leur petit-fils et fils casé.

Absorbée dans ses pensées, Ella en oubliait de suivre le déroulement du jeu.

— Existe-t-il un rancher plus solitaire que Owen Chase, dans tout le Montana ? reprit-elle. J'en doute.

Grace Whitlow, professeur à la retraite, posa sur la table un as de trèfle et ramassa le pli. Puis elle joua un petit pique.

— Pauvre Owen, soupira-t-elle... Les deux petites dont il a la charge ont bien besoin d'une mère.

— Pas n'importe laquelle ! avertit Ella. La famille Chase mérite ce qu'il y a de mieux. Louisa et moi avons bien connu sa grand-mère.

— Nous avons connu les grands-parents de tous les habitants de la ville ! rétorqua Louisa. Faut-il pour autant que nous trouvions des épouses à tous leurs petits-enfants ?

Missy abattit la reine de pique sur le tapis vert.

— Mais... c'est justement l'objet du festival, fit-elle remarquer de sa voix conciliante.

Contrariée, Ella se défaussa d'une petite carte et se tourna vers Louisa. Celle-ci pinça les lèvres en étudiant son jeu. « Pourquoi n'a-t-elle pas mis de rouge à lèvres ? » songea Ella en l'observant d'un air critique. Même si sa sœur jumelle n'avait que sept minutes de moins qu'elle, sans rouge à lèvres, elle en paraissait sept de plus, conclut-elle. Au bas mot !

Là ne s'arrêtait pas la différence entre sa sœur et elle, poursuivit Ella *in petto*. Louisa était dodue alors qu'elle se savait anguleuse. Sa jumelle avait toute la rondeur psychologique de sa mère. Tandis qu'elle tenait de son père : un homme grand, sans une once de graisse, maire de la ville jusqu'à sa mort. Patron de trois commerces, de surcroît. Bref, un homme d'envergure.

— Quelles épouses possibles pour Owen Chase ? reprit Ella.

— Il y a bien la nouvelle boulangère ? suggéra Grace.

— Très bonne cuisinière, renchérit Missy.

Mais Ella ne l'entendait pas de cette oreille.

— La nouvelle boulangère ! Elle a déjà deux petites filles sur les bras, et un commerce à gérer ! Avec ces responsabilités, je la vois mal prendre Owen en charge.

— Il nous faudrait dégoter une célibataire rousse, décréta Missy. Après tout, le petit bébé est roux…

— Une rousse…, réfléchit Ella. En existe-t-il une à Bliss ? Il vaudrait mieux chercher une femme qui aime les enfants et la vie domestique, vous ne croyez pas ?

— Comme Maggie Moore, dit Grace. En plus jeune.

Missy soupira.

— Que faire, à propos de Maggie ?

— Sans oublier Gabe, renchérit Grace.

Le tour que prenait la conversation n'était pas du goût d'Ella. On ne pouvait s'occuper de tous les célibataires à la fois.

— Parons au plus pressé ! insista-t-elle. Owen a besoin d'une femme. Puisque nous ne lui en trouvons pas une dans notre ville, attendons l'ouverture du festival, vendredi. A ce moment-là, nous n'aurons que l'embarras du choix.

— Le repas de la tombola est le moment du festival que je préfère, déclara Missy.

— Moi aussi, répliqua Grace. J'aime aussi beaucoup le bal. D'ailleurs, je me suis acheté une nouvelle robe pour l'occasion.

— Tout cela est ridicule ! marmonna Louisa.

— De quoi parles-tu ? demanda Ella.

— Ces mariages arrangés. Le festival. Tout.

Les trois amies échangèrent des regards stupéfaits.

— Ma sœur est de mauvaise humeur, commenta Ella.

— Pourquoi donc ? s'exclama Grace.

Pleine de sollicitude, Missy se pencha vers Louisa :

— Tu souffres de ta migraine ? Si tu veux t'allonger, nous pouvons interrompre la partie.

Loin de partager ce point de vue, Ella houspilla sa sœur.

— A toi de jouer !

Sa jumelle abattit l'as de pique et ramassa le pli. Mais sans conviction, ce qui ne lui ressemblait pas. D'ordinaire, elle jouait avec âpreté. Au lieu de poursuivre le jeu, elle déposa ses cartes à l'envers sur la table, et affronta ses amies.

— Quelque chose ne va pas, cette année.

— Quoi ? demanda Ella d'une voix frémissante.

Elle éprouvait un soudain sentiment de panique. Aurait-on supprimé le festival sans l'en avertir ? Un blizzard s'annonçait-il dans les grandes plaines ? Menaçait-il d'atteindre Bliss ?

— Parle ! intima-t-elle à sa sœur.

Louisa prit l'air obstiné que sa jumelle ne lui connaissait que trop bien.

— Rien de particulier. Juste une impression…

Agacée, Ella s'adressa à Grace :

— Ma sœur est sur les nerfs depuis ce matin. Sa réserve de thé est épuisée.

— Ah ! commenta Missy. Son thé au jasmin ? Je comprends…

— Elle pourrait tout de même boire autre chose, railla Ella.

— Le café me donne mal à la tête, énonça Louisa d'un air buté.

Ella perdait patience. Pour l'heure, une seule chose l'intéressait : jouer au bridge tout en discutant le cas de Owen

10

Chase. Sans compter les quelques autres célibataires qui la préoccupaient. Les maux de tête de Louisa, son irritation persistante lui gâchaient l'après-midi. La réunion hebdomadaire ne tenait pas ses promesses habituelles. Peut-être sa sœur n'en était-elle d'ailleurs pas l'unique cause ? s'avoua-t-elle honnêtement en son for intérieur. La nuit qui tombait tôt la rendait morose. La froidure de l'air annonçait l'hiver. Ses vieux os lui faisaient mal. En fait, au fin fond de son être, elle n'avait qu'une envie : se mettre au lit et y siroter un bon bourbon avant de s'endormir.

Elle regarda sa montre à la dérobée.

— Owen ne va pas tarder. Il vient pour le thé.

— Dommage que je n'aie pas de thé au jasmin à lui offrir, soupira Louisa. Vient-il avec le bébé ?

— Comment pourrait-il faire autrement ?

Contrairement à sa sœur, que les enfants laissaient indifférente, Louisa avait un faible pour eux.

— Tant mieux s'il vient avec la petite…, dit-elle.

— Ce bébé a besoin d'une mère, conclut Ella. Nous allons nous en occuper.

Les trois autres amies n'émirent aucune protestation. Cependant, Missy se racla la gorge et objecta :

— Owen n'a pas mis les pieds au festival depuis des années.

— Je suis sûre qu'il viendra ! Il doit commencer à se faire du souci.

Louisa reprit son jeu et jeta le roi de pique sur le tapis.

— Je ne me sens pas très romantique, cette année, soupira-t-elle.

Les yeux au ciel, Ella la rembarra :

— Romantique ! A quatre-vingt-un ans ! Ma sœur est folle !

Embarrassée, Louisa haussa les épaules.

— Je suppose…, commença-t-elle. Peut-être que si…

— Si quoi ?

La voix d'Ella avait claqué. Décidément, à ce train-là, jamais la partie de cartes ne s'achèverait ! Alors qu'avec le jeu qu'elle avait en main, elle pouvait remporter la manche ! C'était trop agaçant, à la fin !

— Peut-être suis-je trop vieille pour jouer les marieuses, reprit Louisa. Vous vous souvenez de 1987 ? J'étais certaine que Dick Babcock et Sally Martin étaient faits l'un pour l'autre ! Et les voilà qui divorcent ! Ça me déprime.

— Tout le monde peut se tromper, tempéra Missy. Nous aussi, nous y avons cru. Qui aurait pensé que Sally s'enfuirait avec un inconnu ?

— Dick Babcock était un sot, trancha Ella.

« Pas de pitié pour les sots ! » songea-t-elle *in petto*. Elle en avait connu son lot. Il lui était même arrivé d'en aimer un, autrefois.

— J'ai perdu mon talent de marieuse, poursuivit Louisa.

— Mais non ! assura Ella. Tu t'es levée du mauvais pied, voilà tout. Occupons-nous plutôt du gâteau.

Soudain, Ella abandonnait toute velléité de terminer la partie de bridge. De plus, elle était lasse de disserter sur le divorce des Babcock. De toute évidence, Louisa ne serait d'aucune utilité cette année. Qu'à cela ne tienne ! résolut-elle. Elle trouverait toute seule une épouse pour Owen Chase.

Suzanne Greenway travaillait pour le magazine *Romance*. Femme jeune et dynamique, récemment abandonnée par son fiancé, convertie depuis au cynisme, que faisait-elle dans un magazine dédié au romantisme le plus lénifiant ? Elle se posait souvent la question. Sans y apporter de réponse satisfaisante.

12

Quoi qu'il en soit, sa mission présente était simple : se rendre dans le Montana. Y couvrir pour son magazine le festival du mariage, qui se déroulait dans la ville de Bliss. La ville réputée la plus romanesque de tout l'Ouest américain ! Son patron lui avait assigné un objectif précis : y dénicher un homme à la recherche d'une épouse, le suivre partout, le photographier sous toutes les coutures, dans toutes les situations, pendant la durée du festival.

Un festival des rencontres et du mariage ! Quelle idée saugrenue ! s'amusa-t-elle en levant les yeux au ciel. Saugrenue et repoussante. Des cow-boys désespérés, des femmes en mal d'amour. Le tout rassemblé dans une petite ville poussiéreuse, perdue au milieu de nulle part. Drôle de conception du romantisme !

Pour sa part, elle avait une prédilection pour les dîners aux chandelles et au champagne, avec en sourdine de vieux airs de Sinatra… Disons plutôt, c'est ce qu'elle aimait autrefois. Maintenant, elle préférait par-dessus tout être seule. Seule avec un bon livre. Après une journée harassante, c'était beaucoup plus facile et fiable que la compagnie d'un homme.

Elle loua un 4 x 4 à l'aéroport de Great Falls, et prit la direction du nord du Montana. Au pied des montagnes Rocheuses. Que lui réservait ce festival ? se demanda-t-elle. Pas la moindre idée ! Des femmes en bonnets, peut-être ? Attendant passivement les résultats de leur vente aux enchères ? Des hommes bedonnants à la recherche d'une matrone pour préparer leurs dîners et laver leur linge sale ? A moins que ce ne soit l'inverse ? Des hordes de jeunes étudiants boutonneux, en quête d'aventures d'une nuit ?

Elle frissonna. Elle aurait cent fois préféré le reportage sur la célébration de Thanksgiving en Nouvelle-Angleterre ! Hélas, le patron avait confié le sujet à une autre journaliste. Lui était échu un reportage complet sur Bliss-la-romantique.

Avec photos à l'appui. Un festival du mariage ! Ou, comme Suzanne l'avait surnommé pour faire rire ses amis new-yorkais : le festival des cow-boys orgiaques !

A la station-service où elle prenait de l'essence, le vieil homme qui la servait lui demanda :

— C'est votre première fois ?

Suzanne regretta aussitôt de s'être arrêtée. Son réservoir était encore à moitié plein, le vent glacé soufflait en rafales et les questions indiscrètes l'importunaient ! Mais quelque chose l'avait poussée à faire halte à l'entrée de Bliss. Le désagréable pressentiment que, dans la ville, elle serait prise au piège.

— Première fois ? répéta-t-elle sans comprendre.

— Pour le festival. Vous faites partie des femmes à marier ou des marieuses ?

— Ni les unes ni les autres ! répliqua Suzanne en tendant sa carte de crédit.

L'homme cligna gentiment de l'œil et redressa le Stetson élimé qui lui tombait sur le front.

— Pas de souci ! déclara-t-il. Une fille comme vous aura tout le succès qu'elle mérite !

— Mais je…

Sans attendre sa réplique, le vieux Hal se dirigeait vers le bureau de la station. Suzanne remonta la vitre et frissonna. Il faisait presque nuit. Neigerait-il bientôt ? se demanda-t-elle. Elle aimait bien la neige. Dans la mesure où cela ne l'empêchait pas de vaquer à ses occupations.

Quand Hal revint vers le quatre-quatre, il tendit à Suzanne sa carte de crédit et un reçu. Puis il lui souhaita bonne chance dans sa quête d'un mari.

— Moi-même, je cherche une femme, expliqua-t-il. La mienne est morte depuis quatre ans, et je me sens bien seul.

Que répondre ? se demanda Suzanne. Ce vieil homme lui faisait-il la cour ? Avait-il des vues sur elle ?

— Eh bien… bonne chance à vous aussi, dit-elle enfin. En ce qui me concerne, je suis ici pour travailler. J'appartiens au mag…

— Vous trouverez quelqu'un ! interrompit Hal. Méfiez-vous des gros buveurs, surtout. Et des hommes trop entreprenants. Montrez un heureux caractère, et vous repartirez avec un bon mari.

Suzanne regretta de ne pas avoir son magnétophone à portée de la main. Elle aurait volontiers enregistré ces conseils pour son article !

— Pour l'instant, j'aimerais mieux trouver le 311 Elm Street. Vous connaissez ?

Hal gratifia Suzanne d'un nouveau clin d'œil.

— Ah ! Vous êtes attendue chez les sœurs Bliss ? Tournez à gauche au deuxième feu de signalisation. C'est la plus grosse maison de la rue. La plus belle. Vous ne pouvez pas la manquer.

— Merci.

— Bonne chance pour la chasse au mari, dit Hal en agitant la main.

Suzanne le salua en retour. Puis elle pénétra dans la ville. Etonnée, elle se mit à rouler au pas. Dans le crépuscule, Bliss ressemblait à une ville de western. Elle s'attendait à voir surgir John Wayne à chaque coin de rue ! Une grande banderole claquait au-dessus de l'artère principale : « Bienvenue au pays des mariages heureux ! » Dès demain, elle la photographierait pour sa revue, se promit-elle avec satisfaction.

Les lumières brillaient aux devantures des magasins et des entrepôts, les lampadaires éclairaient les trottoirs. On se serait cru la nuit de la Saint-Sylvestre, et non un banal jeudi du mois de novembre. Une file d'attente s'allongeait à l'entrée d'un cinéma. Un autre groupe piétinait devant un restaurant. Le Bar and Grill de Bliss fourmillait de clients. Le barbier

15

était encore ouvert. De nombreux pick-up s'alignaient le long des trottoirs. Un policier réglait la circulation à un carrefour. Il sourit à deux jeunes femmes, et leur indiqua du doigt un salon de thé. Un salon dont l'élégance surprit Suzanne.

Elle s'arrêta au premier feu rouge, et contempla l'animation de la ville. Une chose la stupéfiait : il y avait des hommes partout ! Des grands, des petits, des rustres, de beaux garçons. De tous âges. Ils portaient des Stetson et de lourds manteaux au col en peau de mouton. Ils arpentaient les rues, seuls ou par deux. Beaucoup semblaient se diriger vers un café tout illuminé. « Chez Sam Le Marieur », annonçait l'enseigne. D'autres allumaient une cigarette entre leurs mains en coupe et observaient les femmes qui passaient.

Et Dieu sait qu'il y en avait, ce soir, à Bliss ! remarqua Suzanne en redémarrant. Elle laissa passer un groupe de femmes d'une trentaine d'années qui traversaient la rue en riant à gorge déployée. En dépit de la température peu clémente, la ville se préparait à faire la fête. Subjuguée, elle regarda trois hommes accueillir le groupe de femmes de l'autre côté du trottoir. Ils levèrent leur Stetson en signe de présentation, et la conversation s'engagea.

Qu'est-ce qui attirait dans cette ville du Montana ces hommes et ces femmes en quête d'un conjoint ? se demanda-t-elle. Que représentait le mariage à leurs yeux ? Le but de sa présence ici était bien sûr de le découvrir. Mais parviendrait-elle à comprendre leurs motivations profondes ? Elle en doutait.

Mélanie Chase McLean était tout en rondeurs et en fossettes. D'ordinaire, ses moues et ses sourires enchantaient son oncle. Pour l'heure cependant, elle pleurait à pleins poumons dans la voiture. Owen Chase se gara devant la maison des sœurs Bliss, et sortit un biberon. Pas question de se présenter chez les vieilles dames avec un bébé braillard ! songea-t-il en enfournant avec amour la tétine dans la bouche goulue de sa nièce.

Tandis que Mel s'emparait du biberon et avalait son lait, Owen se rappelait sa vie au Ranch Chase. Un énorme ranch où ses grands-parents, ses arrière-grands-parents et ses arrière-arrière-grands-parents avaient vécu. Quelques années auparavant, avant de tomber malade, sa sœur avait entrepris d'établir l'arbre généalogique de la famille. Cela lui donnait le tournis, déclarait-elle à l'époque. Trop de Chase à trier, classer, relier entre eux !

Peu à peu, songeait-il, les oncles et les tantes avaient vieilli. Puis disparu les uns après les autres. Les cousins s'étaient lassés du travail de la ferme. Ils avaient déserté la campagne pour aller vivre en ville. Puis son père était mort pendant son sommeil. Sa mère l'avait suivi dans la tombe, quelques mois plus tard.

Et maintenant ? Aussi incroyable que cela paraisse, les prolifiques Chase se réduisaient à présent à lui, Owen, et ses deux nièces. Les derniers de la lignée. A moins que Owen ne se réveille un jour avec une épouse tombée du ciel ?

Improbable ! songea-t-il en détachant la sangle du siège de sa nièce. Il soupira. Les sœurs Bliss l'avaient invité à prendre le thé. Il les respectait trop pour refuser leur invitation. Cependant, il savait parfaitement ce qu'elles avaient en tête. Une fois de plus, il figurerait sur leur liste de célibataires à caser ! Ces drôles de vieilles dames se prenaient pour des marieuses de talent. Elles considéraient sûrement son célibat comme un défi permanent à leur savoir-faire !

Existait-il un moyen courtois d'éviter l'invitation de Louisa et Ella ? Non. En revanche, le fait d'amener Mélanie avec lui garantissait une visite de courte durée. En outre, il avait une autre excuse toute trouvée : dans trois quarts d'heure, il devait prendre sa nièce Darcy à la sortie de son entraînement de basket-ball.

Owen attendait calmement que Mélanie ait fini son biberon. Et pourtant, la patience n'était pas son fort ! Dans sa famille, les hommes étaient travailleurs, têtus, sérieux… et impatients. Le travail faisait partie intégrante de la vie dans le Montana. Cet après-midi faisait exception. Une exception notoire. En effet, il avait mieux à faire que boire le thé en compagnie de vieilles dames qui cherchaient à toute force à le marier !

Son biberon terminé, Mélanie le lâcha sans ménagement. Puis elle décocha à son oncle un sourire qui le fit fondre. Comme un filet de lait lui coulait de la lèvre, Owen prit son mouchoir et nettoya tendrement le visage du bébé. Puis il la sortit de la voiture et l'enveloppa dans une couverture. La plupart du temps, ce petit bout de chou était de très bonne compagnie, songea-t-il en le serrant sur son cœur. Il l'emmenait partout avec lui. Il se trouvait toujours une dame d'un certain âge pour proposer son aide, pendant que Owen vaquait à ses occupations indispensables.

Les femmes sont des créatures serviables, reconnut-il en son for intérieur. Tout au moins les plus âgées ! Il en avait fait l'heureuse expérience, ces derniers mois. Mais parfois, elles deviennent trop serviables, nuança-t-il avec humour, tout en gravissant les marches du perron des sœurs Bliss. Le perron le plus majestueux de toute la ville.

Un sourire indulgent lui monta aux lèvres. Il en mettait sa main à couper, Louisa et Ella Bliss l'accueilleraient avec leur question rituelle : « Comment se fait-il que tu n'aies pas encore choisi une épouse, Owen ? »

« Parce que je suis trop grand. Trop tranquille. Pas assez beau garçon. Parce que je passe le plus clair de mon temps dans mon ranch. » Comme il soulevait le beau heurtoir de la porte des jumelles, il songea à la vraie réponse que sa pudeur l'empêcherait de leur faire. A savoir : « Je ne cherche pas une épouse, mesdames. En revanche, que j'aimerais bien prendre une maîtresse ! »

2.

Après les formules d'accueil, Ella posa la question tout à trac :

— Enfin, Owen, comment se fait-il que tu n'aies pas encore trouvé une épouse ?

Depuis le canapé où elle était assise, Suzanne étouffa un rire et tenta d'apercevoir la porte d'entrée. A qui l'une de ces deux vieilles dames posait-elle cette question incongrue ? Les sœurs Bliss lui avaient annoncé la visite d'un homme. Un homme qui venait faire appel à leur compétence pour lui dénicher une épouse. « Le pauvre garçon assume de lourdes responsabilités », lui avait expliqué Louisa d'un air entendu.

— Il n'est pas dans une situation courante, avait concédé Ella. Mais le défi nous stimule.

C'est alors qu'était intervenu le coup frappé à la porte d'entrée. Ella s'était précipitée. Son zèle à ouvrir à l'inconnu avait attisé la curiosité de Suzanne. Quel pouvait bien être le problème de ce « pauvre garçon » ? Trop vieux ? Trop jeune ? Trop poilu ? Chauve ? Peut-être bégayait-il ? A moins qu'il ne zozote ?

L'entrée en scène du « pauvre garçon » étonna Suzanne au plus haut point. Elle ne s'attendait pas à un tel spectacle dans un salon victorien ! Un rancher de très haute taille, vêtu du traditionnel manteau au col en peau de mouton. Avec un bébé dans les bras ! Jamais de sa vie elle n'avait vu un homme aussi grand. Presque un géant.

Le visiteur ne se donna pas la peine de répondre à la question saugrenue. Mais il enleva son Stetson en signe de courtoisie. Suzanne le détailla discrètement. Cheveux noirs, abondants. Beaux yeux sombres. Un visage carré, rasé de près. Une trentaine d'années. Il semblait plutôt résigné qu'agacé par la question qu'on venait de lui poser.

Ella Bliss le conduisit vers le canapé où se trouvait Suzanne.

— Owen, je te présente Suzanne Greenway. Elle vient de New York. Elle est ici pour écrire un article sur notre festival.

Puis se tournant vers Suzanne :

— Voici Owen Chase. Il fera un bon célibataire pour figurer dans votre journal.

Suzanne se leva.

— Ravie de vous rencontrer, dit-elle.

Louisa se précipita vers le bébé en s'exclamant :

— Comme elle a grandi !

Ne sachant que faire, Suzanne demeurait debout. Peut-être pour voir le nouveau venu sans trop se tordre le cou ? s'amusat-elle *in petto*. Le ravissant bébé lui sourit et lui tendit les bras. Que faire d'autre que s'approcher ? De toute façon, elle adorait les enfants ! Confiant, l'homme déposa son fardeau entre ses bras. Elle serra contre elle la belle petite fille toute ronde, qui sentait bon le lait.

Ella lança à Suzanne un regard perçant.

— Mélanie ne craint pas les étrangers, à ce que je vois, remarqua-t-elle. Avez-vous des enfants, mademoiselle Greenway ?

— Seulement des neveux et nièces.

Le bébé attrapa une boucle de cheveux de Suzanne et l'enroula entre ses doigts.

— Sois sage, Mélanie, lui intima l'homme.

Il avait une voix profonde, un peu rauque, qui plut à Suzanne.

— Elle est adorable, commenta-t-elle.

Reprenant place sur le canapé, elle garda Mélanie sur ses genoux. D'instinct, pour éviter qu'elle n'ait trop chaud, elle lui ôta sa petite combinaison matelassée. Une seule chose la dérangeait : avec ce bébé dans les bras, elle ne pourrait prendre aucune note écrite pour son article.

Ella s'assit près de Suzanne.

— Etes-vous fiancée, ma chère ? demanda-t-elle.

— Non, répondit Suzanne.

« Plus depuis six mois, en tout cas ! » songea-t-elle avec son cynisme coutumier.

— Avez-vous un compagnon ?

— Non plus.

Une satisfaction non déguisée se peignit sur les traits de la vieille dame.

— Vous pouvez donc trouver un mari au cours de votre séjour à Bliss ! s'exclama-t-elle.

— Je ne veux pas de mari.

— Ah bon ? Peut-être changerez-vous d'avis, après avoir rencontré un de nos...

Courroucée, Louisa rappela sa sœur à l'ordre :

— Mlle Greenway est ici pour travailler. Rien d'autre !

Puis elle désigna du menton un large fauteuil, qui paraissait très solide.

— Assieds-toi, Owen. Ce siège ne craint rien. Tu veux du thé ? Hélas, je n'ai plus de jasmin à t'offrir.

Pauvre homme ! songea Suzanne. Comme il avait l'air mal à l'aise dans ce salon raffiné ! Un éléphant dans un magasin de porcelaine ! On l'imaginait plutôt à cheval, au milieu de son bétail. Chevauchant les grandes plaines.

— Je... je ne peux rester très longtemps, commença-t-il.

— Au contraire ! s'écria Ella. Tu es le premier célibataire de notre liste. Nous avons beaucoup de choses à discuter.

Résigné, Owen se casa avec précaution dans le fauteuil.

— Premier de la liste ? répéta-t-il. C'est bien ce que je craignais.

Louisa lui versa une tasse de thé, et la déposa sur un guéridon en acajou près du fauteuil.

— Et Mlle Greenway a besoin d'un célibataire, renchérit-elle.

— Pour mon magazine, précisa Suzanne.

Une envie de rire la submergeait. *Mlle Greenway a besoin d'un célibataire.* Que pensait ce géant assis en face d'elle ? S'il daignait seulement la regarder, ils pourraient s'amuser ensemble de la loufoquerie de ces deux vieilles dames !

— Pour donner un tour plus personnel à mon article, expliqua-t-elle, j'aimerais suivre une personne… euh… à la recherche d'une épouse… ou d'un époux. Ces dames m'ont suggéré que vous feriez l'affaire…

— J'en doute, grommela Owen.

Mais il observait attentivement du regard la menotte de Mélanie sur le visage de Suzanne.

De son côté, Suzanne réfléchissait. Cet Owen serait très photogénique, décida-t-elle. Très masculin, avec cette dégaine particulière des hommes de l'Ouest. Une dégaine qui plaisait à certaines femmes. En revanche, les belles rides d'expression qui entouraient ses yeux plairaient à *toutes* les femmes ! Son article prenait soudain un air plus piquant. Pensez donc ! Un célibataire viril, affublé d'un bébé craquant, voilà qui était intéressant ! Bien davantage qu'un insipide garçon de vingt ans, une bière à la main ! Peut-être son article ferait-il la une de *Romance*, après tout ?

— Vous ne voulez pas vous marier ? demanda-t-elle à Owen.

Sa femme était-elle décédée ? L'avait-elle quitté ? N'avait-il jamais épousé la mère de son enfant ? Dans ce cas, un concours de circonstances lui en avait peut-être quand même attribué la garde.

Avant de répondre à la question, Owen la fixa. Un long moment. Suzanne discerna l'intelligence de son regard. Puis il soupira, comme si sa patience était à bout.

— Je reconnais avoir du mal à élever seul mes deux nièces, dit-il enfin de sa voix basse.

Pour une obscure raison, Suzanne retint sa respiration. Deux nièces ? Aux aguets, elle attendit la suite.

Owen fronça les sourcils. Une nouvelle fois, son attention se concentra sur Mélanie, qui se tortillait entre les bras de Suzanne.

— Mais…, commença-t-il.

— Mais ? demanda Suzanne tout en desserrant son étreinte autour du bébé.

— Mais ? insista Louisa.

— Je n'ai pas de temps pour les rendez-vous galants. Et même si j'en avais, aucune femme ne voudrait d'une famille déjà constituée.

— Ridicule ! trancha Ella. N'importe quelle femme serait heureuse d'élever des filles aussi charmantes. Ce sont des Chase, ne l'oublie pas !

Suzanne permit à Mélanie de ramper sur le canapé, en direction d'Ella.

— Chase ? demanda-t-elle.

— La famille Chase fait partie des pionniers de la toute première heure, expliqua Ella. Une des familles les plus anciennes du comté. Avec la nôtre.

— Et depuis quelque temps, une des plus malchanceuses, renchérit Louisa.

Owen ne disait rien. Fascinée, Suzanne le regarda avancer sa grande main vers la minuscule tasse de thé. Il saisit entre le pouce et l'index la délicate anse de porcelaine et porta la tasse à ses lèvres. Puis il la reposa avec d'infinies précautions.

— Merci pour le thé, dit-il. Mais Mélanie et moi devons partir.

— Déjà ! protesta Ella. Nous n'avons pas mis au point tes exigences !

— La liste des vœux, expliqua Louisa à Suzanne. Ça aid'Ella à comprendre ce que les hommes attendent de leur future épouse.

Suzanne s'empara de son bloc-notes et d'un stylo. Owen en parut contrarié.

— Vous allez écrire tout ça ? demanda-t-il.

— Si vous n'y voyez pas d'inconvénient…

— L'idée ne me plaît pas. Je n'ai pas de liste de vœux, pour commencer. Ensuite, il n'y a pas d'épouse en vue. Je n'ai pas l'intention de rechercher qui que ce soit pendant ce festival.

— Pourquoi pas ? demanda Suzanne.

Louisa soupira et tapota la jambe de Owen.

— Mon petit… ne sois pas timide. Dis à Ella le genre de femme qui te plairait.

— Tu n'as qu'une chose à faire : participer au Repas de la fortune du pot, déclara Ella.

— Quand ? demanda Suzanne.

— Demain. C'est indiqué sur la brochure que je vous ai donnée.

— Vous êtes très organisées !

— Nous avons peaufiné la méthode au fil du temps… Notre ancêtre Horace Bliss a conduit lui-même le premier chariot de femmes à marier dans la région. Les mariages arrangés ont tous été très satisfaisants.

— A l'époque, il y avait cinquante hommes pour une femme, ici. Alors, vous pensez bien que les gars étaient heureux de voir débarquer toute cette gent féminine.

Suzanne réprima son envie de rire. Elle imaginait la scène : des centaines de célibataires frustrés se ruant sur les nouvelles arrivées !

— Comment les femmes choisissaient-elles l'élu ? demanda-t-elle.

N'y tenant plus, Owen se leva et prit Mélanie dans ses bras.

— Ce sont les hommes qui choisissaient, expliqua-t-il. C'est ce qu'on dit, en tout cas.

Ella agita la main devant le bébé.

— Au revoir, petit chou… Je suis sûre que n'importe quelle femme adorerait s'occuper d'un aussi charmant bambin. N'est-ce pas, Suzanne ?

Suzanne s'apprêtait à acquiescer. Elle se ravisa à temps. Maternité, mariage, Mélanie. En quoi cela la concernait-il ? Si les sœurs Bliss voulaient jouer les entremetteuses entre Owen Chase et elle, qu'elles s'en donnent à cœur joie ! Pour sa part, elle n'y prêterait pas attention. A moins qu'elle n'en tire profit pour ajouter du piment à son reportage !

Le bébé entoura de ses bras potelés le cou de son oncle. Owen l'enveloppa d'une couverture. Puis il se tourna vers Suzanne et déclara d'une voix étonnamment douce :

— Ce fut un plaisir de vous rencontrer. Je vous souhaite un agréable séjour à Bliss.

A sa grande surprise, Suzanne regretta le départ de cet homme étrange.

— Merci, répliqua-t-elle en se levant. Je vous recontacterai.

Owen s'immobilisa.

— Pourquoi cela ?

— Vous êtes le célibataire idéal pour mon reportage.

Il se rembrunit.

— Je ne…

— Vous seriez parfait, insista Suzanne. Les lectrices seront enchantées de suivre pas à pas votre quête au cours de ce festival.

— J'en doute, affirma-t-il.

Toutefois, comme en contradiction avec ses paroles dubitatives, l'ombre d'un sourire frémit sur son visage.

Ella bloqua le chemin qui conduisait à la porte.

— Si tu ne nous donnes pas une liste de tes desiderata, nous l'établirons nous-mêmes, menaça-t-elle.

Ses yeux s'étrécirent, elle réfléchit une seconde et énonça :

— Bonne ménagère. Maternelle. Patiente. Elle doit aimer vivre dans un ranch…

— Savoir monter à cheval, poursuivit Louisa. Conduire un pick-up.

— Si elle ne sait pas, Owen le lui apprendra en temps utile, trancha Ella.

Owen soupira bruyamment. Suzanne spécula sur la patience du rancher : combien de temps encore tiendrait-il ? Allait-il exploser ? Le bébé s'agitait dans ses bras, essayait de saisir le bord de son chapeau. Absorbé dans ses pensées, il ne semblait pas le remarquer.

— Merci pour le thé, mesdames, dit-il enfin. Bonne chance pour le festival.

— Seras-tu présent au Repas à la fortune du pot ? demanda Louisa.

Il hésita un instant. Puis :

— J'y ferai un saut.

— Et au bal ?

— Peut-être.

Owen fit quelques pas en direction de la porte. Ella s'effaça pour le laisser passer. Il ouvrit. Puis il s'arrêta sur le seuil et se retourna.

— Vous avez oublié quelque chose sur votre liste, dit-il aux sœurs Bliss.

Malgré son air sérieux, Suzanne comprit tout de suite : il s'apprêtait à taquiner les deux jumelles.

— Vraiment ? s'étonna Ella.

Il lança un regard en direction de Suzanne, et lui adressa un léger sourire. En cet instant, elle le trouva beau.

— Eh bien… j'ai un faible pour les rousses.

Là-dessus, il tourna les talons et tira la porte derrière lui.

Ella se tourna vers Suzanne et murmura :

— Vous avez entendu ? Il aime vos cheveux roux.

Louisa tapota le bras de la journaliste :

— Qui l'eût cru ? Owen Chase flirte avec vous ! Comme c'est charmant !

— Owen n'est pas homme à flirter, déclara Ella d'un ton péremptoire.

Puis elle examina de plus près la chevelure de Suzanne.

— Auburn, trancha-t-elle. Owen est le célibataire qu'il vous faut, mademoiselle Greenway !

— Je ne crois pas que M. Chase ait le moindre désir de figurer dans mon reportage, objecta Suzanne.

— Vous le convaincrez !

Prenant Suzanne par le coude, elle la poussa vers le canapé et la fit asseoir.

L'air rêveur, charmée de sa découverte, Louisa répéta :

— Il flirtait bel et bien ! Il était délicieux ! Un peu comme Robert. Tu te souviens, Ella ?

Ella ignora la remarque de sa sœur et déclara à Suzanne :

— Vous irez au Repas à la fortune du pot, bien sûr. Mais avant, nous avons beaucoup à faire. Je vais vous expliquer comment

28

nous trouvons l'épouse appropriée aux jeunes hommes dont nous décidons de nous occuper. Commençons par Owen ! Il semblerait qu'il soit plus facile à caser que nous ne le pensions.

Suzanne n'en revenait pas. Ces vieilles dames la considéraient-elles comme une candidate possible ? C'était à mourir de rire !

— Entendu ! dit-elle. Parlez-moi de ce cow-boy.

Tout en regagnant sa voiture, Owen fulminait contre lui-même. Quel idiot, tout de même ! *J'ai un faible pour les rousses.* Qu'est-ce qui lui était passé par la tête ? Oh ! Inutile de tricher avec lui-même. Il le savait parfaitement ! A la vue de cette jeune femme ravissante, son sang n'avait fait qu'un tour. Son cerveau s'était peuplé d'images inavouables : sexe, amour, longues nuits de plaisir. Telle était la triste vérité.

Owen s'emmêlait les doigts dans les sangles du siège de Mélanie. Sa nièce lui souriait. Comme pour le consoler de se sentir si sot.

— Ne t'en fais pas, maugréa-t-il en l'attachant. On rentre à la maison. Avant que oncle Owen ne se ridiculise devant une autre belle femme.

Et Dieu ! que Suzanne Greenway était belle ! songea-t-il en s'installant derrière son volant. Ces boucles rousses, souples et soyeuses. Ces longues jambes de faon, prises dans un pantalon étroit. Ce joli pull vert, qui soulignait une poitrine à damner un saint. De quoi y perdre son âme.

Mais trêve de pensées érotiques ! Une foule de tâches l'attendaient ! En outre, il avait dans sa voiture un bébé qui nécessitait ses soins constants. Sans compter sa nièce Darcy, qui l'attendait au lycée, à la sortie du gymnase. Depuis la mort de sa sœur Judy, il était investi de responsabilités. De devoirs auxquels il ne devait pas faillir. Le reste n'était que blabla et fariboles. Point final.

Il se gara sur le parking du gymnase et attendit Darcy.

Tout à coup, il aperçut Gabe, son voisin, père célibataire, veuf. Il baissa la vitre de sa voiture et le héla :

— Salut ! Que fais-tu ici ?

— Les enfants sont à une répétition pour la pièce de fin d'année. Si nous allions tous ensemble dîner chez Sam ?

— Ça va être bondé, objecta Owen.

Bondé d'hommes et de femmes en quête de partenaires, songea-t-il. Un vrai repaire de cœurs solitaires. Mais non résignés.

— Avec les enfants, on va peut-être détonner dans le tableau, ajouta-t-il en riant.

Gabe haussa les épaules.

— C'est amusant à observer ! Ça nous rappellera notre jeunesse !

— Et ça vaut mieux que faire la cuisine à la maison !

« Surtout avec un bébé sur les bras ! » songea Owen avec un sourire.

— Bien dit ! Je te rejoins dans quelques minutes avec les petits.

Owen acquiesça d'un signe de tête et remonta la vitre. Gabe O'Connor et lui se trouvaient dans la même situation, réfléchit-il une fois de plus. Avec toutefois une différence : son ami était seul depuis plus longtemps que lui pour élever sa petite famille. Il savait mieux s'y prendre. Se faisait davantage confiance. Une question inattendue lui vint à l'esprit : Gabe avait-il déjà rencontré une femme à laquelle il n'avait pu résister ? A part sa défunte épouse, bien entendu.

De nouveau, Owen se morigéna. Qu'avait-il à faire avec Suzanne Greenway ? Une femme dont l'objectif était clair et précis : le faire figurer dans un reportage sur le festival de Bliss. Ni plus ni moins.

Vingt minutes plus tard, il était attablé avec son ami dans un coin de chez Sam Le Marieur.

— Cette femme veut te suivre tout le temps du festival ? demanda Gabe. Et ça te pose un problème ?

— C'est pour son magazine.

— Et alors ?

— Elle est belle.

Gabe se mit à rire.

— Ne prends pas cet air malheureux ! Tu as besoin d'une femme, mon vieux. Combien de temps cette ravissante rousse séjourne-t-elle à Bliss ?

— Pas la moindre idée. Assez longtemps pour prendre ses photos et mériter son salaire, j'imagine.

Il détourna la tête et observa le groupe que formaient leurs enfants. Ils dînaient ensemble à la table voisine. Ceux de Gabe riaient. Darcy souriait. Un vrai miracle, songea Owen avec émotion. La perte de sa mère et de son beau-père avait l'an dernier bouleversé la vie de l'adolescente. Et pourtant, loin de lâcher prise, elle continuait à bien travailler à l'école. Elle s'occupait même de sa petite sœur dès qu'elle en avait le temps. Il jeta un regard attendri à Mélanie, qui dormait à ses pieds dans son couffin.

— Accepte de l'aider, plaida Gabe. Quel mal cela pourrait-il te faire ?

— Il lui faut un célibataire dont suivre les faits et gestes tout au long du festival. Ça implique que je parle à beaucoup de femmes. Que je fasse semblant d'avoir envie de me marier. Les sœurs Bliss ont manigancé tout ça.

Gabe grommela :

— Ne me dis pas qu'elles t'ont invité à boire le thé ? Et qu'elles t'ont placé en haut de leur liste ?

— Exactement ! Et je suis sûr que tu viens en deuxième position !

L'ami de Owen fit la grimace :

— Dieu sait que je n'ai pas du tout envie de me remarier…

— Je sais, mais les sœurs Bliss sont d'un avis différent !

Gabe jura entre ses dents :

— Pas moi, vieux… Mais toi, tu as besoin d'une épouse.

Il désigna Mélanie du menton, et poursuivit d'une voix persuasive :

— Dès qu'elle va marcher, tu ne pourras plus rien faire. Je suis déjà étonné que tu arrives à accomplir ton travail.

— Le moment venu, j'emploierai les services d'une nounou.

— Facile à dire, pas facile à trouver. Non, crois-moi, il te faut une femme.

Il contempla ses enfants, et murmura :

— Elever des gamins, ce n'est pas facile…

— Je n'ai jamais su m'y prendre avec les femmes, confessa Owen.

— Peut-être que ta belle rousse aime les cow-boys ?

— Tu parles ! C'est une vraie citadine !

— Qui sait…

Mais Owen ne s'en laissait pas compter. Il avait son propre avis et s'y tenait.

— Non ! dit Louisa d'un ton sec.

Ella sursauta. Pourquoi sa sœur était-elle de si mauvaise humeur ? En pleine période du festival ! Avec tout ce qu'elles avaient à entreprendre !

Elle revint à la charge.

— Je t'assure que Suzanne est parfaite pour Owen. Sa remarque au sujet des rousses…

— N'était qu'une remarque sans conséquence. J'ai bien réfléchi, poursuivit Louisa.

— A quel sujet ?

Louisa prit une profonde inspiration et se lança :

— Je me retire de toutes ces histoires de marieuses, proféra-t-elle. Je n'ai plus le feu sacré.

— Tu avais pourtant l'air enthousiaste, lorsque Mlle Greenway tenait Mélanie dans ses bras. As-tu remarqué que leurs cheveux ont la même nuance ? J'en ai eu la chair de poule, Lou… Toi aussi, d'ailleurs.

— Juste un tout petit peu. Un accès de romantisme risible.

Brusquement, Louisa se leva. Elle tourna le dos à sa sœur et se mit en devoir de rassembler les tasses à thé sur un plateau.

— Et pour demain ? demanda Ella.

Louisa ne se retourna pas.

— Demain ?

— Tu sais parfaitement ce que je veux dire. Demain, nous ouvrons le festival par un discours sur Horace Bliss et la tradition de notre ville. C'est à ton tour de le faire !

— Tu le feras à ma place.

— Mais la tradition veut que…

— La tradition se passera de moi ! affirma Louisa.

Elle souleva le plateau sous les yeux médusés de sa sœur, et l'emporta en hâte dans la cuisine. Comme si elle avait mille choses pressantes à accomplir avant l'heure de leur série télévisée *Jeopardy* ! songea Ella. Une série que, pour sa part, elle adorait. Cette émission lui permettait de garder l'esprit vif. La mémoire alerte. Tenant ainsi en respect les dangers qui assaillent les vieux. Mettent leur vie en péril. Comme oublier de prendre leurs médicaments, par exemple. Ou perdre le désir de vivre, tout simplement.

Quelque chose clochait avec Louisa, poursuivit-elle en son for intérieur. Bien entendu, sa jumelle n'avait jamais été une marieuse hors pair. Pas aussi bonne qu'elle, en tout cas ! Mais tout de même ! Elle faisait toujours montre d'un instinct sûr. Et de beaucoup de bon sens.

Alors, que se passait-il ? Le désistement de sa sœur provenait-il d'autre chose que d'une mauvaise humeur passagère ? Un laxatif serait-il le bienvenu ? Cela lui éclaircirait peut-être les idées. La solution viendrait-elle de l'arrivage du thé au jasmin ? Quoi qu'il en soit, tout cela se révélait bien contrariant…

3.

Les discours des sœurs Bliss à propos de Owen Chase soûlèrent Suzanne. Pensez donc ! ricana-t-elle *in petto*. Un homme qui dédiait sa vie à l'éducation de ses deux nièces, après la mort de sa sœur. Tout en administrant son ranch. Un homme exemplaire, qui ne courait pas les femmes. Ne buvait pas. Ne souhaitait qu'une chose : trouver chaussure à son pied, et vivre heureux en ménage, jusqu'à la fin des temps. Une vraie perle ! Trop beau pour être vrai ! Romantique à souhait ! Pas pour elle, évidemment. Mais pour ses lectrices, quelle aubaine !

En ce qui la concernait, elle avait d'un même élan fait une croix sur l'amour, le romantisme et les hommes. Six mois auparavant, quand son fiancé n'avait pas daigné paraître le jour de leurs noces, Suzanne avait vacillé sous le choc. Mais elle avait sur-le-champ pris le taureau par les cornes : les fleurs de la cérémonie avaient abouti dans une maison de retraite. Le repas de noce avait été distribué à des sans-abri.

Ses sœurs aînées s'étaient coupées en quatre pour tenter de la réconforter. D'un revers de main, Suzanne avait refusé de s'apitoyer sur son sort. Ce n'était pas son genre ! Pas question de se donner en spectacle, le jour où les feux des projecteurs se trouvaient justement braqués sur elle. Au contraire, sublimant son humiliation, elle avait consolé ses parents effondrés. Entendant sa tante Nancy et son oncle Ted déclarer que Greg ne méritait pas une femme comme elle, elle avait abondé dans leur sens. Avec bravade, elle avait fait don de sa robe de mariée à l'Armée du Salut, et offert son voile à sa nièce de six ans. Puis elle avait déclaré l'incident clos. L'affaire était réglée. Une fois pour toutes.

Elle ne porterait pas son cœur brisé en bandoulière ! s'était-elle juré. Pas une minute !

Après avoir photographié les sœurs jumelles sous le portrait jovial de leur ancêtre Horace Bliss, Suzanne les quitta. Avant de partir, elle décocha un regard goguenard au premier marieur de la ville de Bliss.

A présent, elle ne souhaitait plus qu'une chose : dormir. Si seulement elle pouvait rentrer chez elle, à New York ! Oublier jusqu'au nom de cette ville ridicule. Eradiquer de sa mémoire les traditions débiles de ce coin perdu du Montana. Ne plus jamais penser à Owen Chase, ce parangon de vertu !

Mais, auparavant, il lui fallait manger ! Sam Le Marieur lui parut une excellente adresse. Bien éclairé. Dans la rue principale. Avec un vaste parking où il restait des places.

Dans l'allée qui menait au restaurant, Suzanne rencontra trois hommes et cinq femmes. Un groupe joyeux qui se dirigeait vers le cinéma. Tous les cinq portaient un badge d'un jaune criard, avec le mot Bliss enchâssé dans un cœur rouge.

Intriguée, Suzanne arrêta un des hommes, et lui demanda ce que signifiait ce badge.

— C'est pour une œuvre de charité, répliqua-t-il en souriant. L'argent va à l'hôpital de la ville.

— Tout le monde en porte un ?

— Ceux qui le désirent. Il y a un numéro au dos. Pour la tombola. On peut l'acheter partout en ville, pour cinq dollars.

Tout en s'acheminant vers le restaurant, Suzanne se promit d'écrire un petit topo sur ce sujet. Pour l'heure, elle poussa la porte des lieux. Déterminée à se débarrasser du pénible sentiment d'avoir débarqué en terre étrangère. Les sœurs Bliss l'avaient en effet gavée d'histoire locale. De romantisme. De récits de mariages. Elles lui avaient même parlé de magie ! Pour couronner le tout, elles l'avaient bassinée avec leur obsession : trouver la femme idéale pour Owen Chase !

Owen Chase, auquel elle se heurta en pénétrant chez Sam Le Marieur. « Quand on parle du loup ! » songea-t-elle avec ironie. Il portait contre lui Mélanie endormie, la tête abandonnée sur son épaule. En la voyant, il eut l'air surpris. Presque effrayé. Suzanne en conçut un léger sentiment de culpabilité : croyait-il qu'elle mettait à exécution son plan de le suivre pendant le festival ?

Pour lever toute ambiguïté, elle déclara d'emblée :

— Ne vous inquiétez pas. Je ne suis ici que pour dîner.

L'ombre d'un sourire passa sur le visage de Owen.

— Vous avez fait le bon choix. La cuisine est excellente, chez Sam.

— Vous arrivez ou vous partez ? s'enquit Suzanne.

En fait, elle détestait manger seule. Sans doute cet homme réservé ne serait-il pas très causant ? Pourtant, ce serait mieux que rien ! Soudain, elle avait envie d'en savoir davantage à son sujet. Pour son article, évidemment, se persuada-t-elle *in petto*. Pas à cause de ses beaux yeux noirs. Ni de son air plein de bonté et mesuré.

— Je pars, répondit-il. Aussitôt que ma nièce…

A ce moment-là, un homme se détacha du comptoir, poussant devant lui trois enfants.

— La voici justement, acheva Owen.

Une jolie adolescente à queue-de-cheval s'approcha.

— Bonsoir, dit-elle à Suzanne.

Puis se tournant vers son oncle :

— Tu veux que je prenne Mélanie ?

— Merci, mais elle dort. Darcy, je te présente Suzanne Greenway. Elle est journaliste et prépare un reportage sur notre ville. Mademoiselle Greenway, voici mon autre nièce.

Suzanne tendit la main à l'adolescente, qui semblait avoir treize ou quatorze ans. Les cheveux auburn, de grands yeux sombres. Comme ceux de son oncle.

— Quel genre de reportage ? demanda Darcy.

— Je travaille pour *Romance*. Tu en as déjà entendu parler ?

Darcy fit non de la tête.

— Mon journal veut publier un article sur le festival de Bliss, les mariages arrangés...

— C'est une blague ? Qui s'intéresserait à une si petite ville !

— Je t'enverrai un exemplaire du magazine, quand le reportage paraîtra, promit Suzanne.

Se tournant vers Owen, elle ajouta :

— Puis-je vous rencontrer demain ? Votre heure sera la mienne.

— Ecoutez, mademoiselle, je...

— Appelez-moi Suzanne.

Le visage empreint de sérieux, la voix profonde, Owen reprit :

— Suzanne... Je n'ai pas envie que ma vie privée s'étale dans les journaux.

Gabe les rejoignit à cet instant. Quand il vit Suzanne, son visage s'éclaira. Il lui sourit.

— Je suis Suzanne Greenway, déclara-t-elle en lui tendant la main. Je suis ici pour...

— Un reportage sur la ville, je suis au courant ! Gabe O'Connor. Voisin et surtout ami de Owen.

— Faites-vous partie des candidats au mariage ? demanda Suzanne.

Owen gloussa :

— En effet ! dit-il. Pourquoi ne pas jeter votre dévolu sur lui, pour vos interviews ? Ella Bliss ne va pas manquer de l'inviter à boire le thé cette semaine !

— C'est Owen qui a besoin d'une femme, corrigea Gabe avec un sourire. Aidez-le à en trouver une.

— Je veux bien essayer, répondit Suzanne. Mais il m'a l'air têtu !

Darcy roula les yeux au ciel.

— Pour être têtu, il n'y a pas pire que Oncle Owen ! s'exclama-t-elle. Pourtant, il devrait sortir, une fois de temps en temps. Il est trop solitaire.

Gêné, Owen protesta :

— Ça suffit, maintenant !

Deux enfants s'agglutinèrent autour de Gabe. Il cligna de l'œil en direction de Suzanne puis s'adressa à son ami :

— Tu ne vas pas laisser mademoiselle dîner toute seule, au moins ? Suzanne, voici mes gamins.

— Nous rentrons, rétorqua Owen. Darcy doit faire ses devoirs.

— J'emmène ta nièce avec nous, décréta Gabe. Tu la reprendras en passant.

— Vas-y, oncle Owen ! Je ferai mes maths chez Gabe. Pas de problème.

Owen avait l'air si mal à l'aise que Suzanne vint à sa rescousse.

— J'ai l'habitude de prendre mes repas seule, mentit-elle. Allez coucher Mélanie.

Joignant le geste à la parole, elle s'effaça pour le laisser passer. Mais il ne bougea pas d'un pouce.

— Non, dit-il d'une voix lente. Je vous tiens compagnie.

— A la bonne heure ! déclara Gabe. A plus tard, vieux. Allez, les enfants, on y va.

Le petit groupe disparut gaiement dans la nuit. Un air glacial s'engouffra dans le restaurant. Suzanne frissonna, et se tourna vers Owen. Il portait toujours Mélanie contre lui du bras gauche. Dans la main droite, il tenait un siège de bébé. Un biberon dépassait de la poche de son manteau. En cet instant, elle le trouva attendrissant. Craquant.

— J'ai réussi à vous coincer pour une interview ! dit-elle. Ou bien notre conversation doit-elle rester privée ?

— Privée, répliqua-t-il en se dirigeant vers une table libre.

Il allongea Mélanie sur la banquette, et déposa le siège par terre.

— Elle dort n'importe où, commenta-t-il. C'est une chance !

— Quel bébé adorable ! approuva Suzanne en s'asseyant. Comment vous en sortez-vous, avec ces deux enfants ?

— Leur grand-mère m'a aidé, au début, dit-il en lui tendant la carte. Ella et Louisa ont dû tout vous raconter, j'en suis sûr !

Suzanne étudia la carte un instant.

— Elles m'ont dit beaucoup de choses ! Que me conseillez-vous ?

— Tout est bon, chez Sam. A condition d'aimer le gras !

— J'adore ça ! affirma-t-elle en souriant. Et j'ai un faible pour les tartes aux pommes, aussi.

De nouveau, un sourire éclaira les traits de Owen. Une lumière brilla au fond de ses yeux.

Quand la serveuse se présenta, Suzanne commanda un double hamburger avec des frites et un Coca-Cola allégé. Owen prit un café.

40

— Ecrire vous creuse l'appétit, à ce que je vois ! commenta-t-il avec bienveillance.

Suzanne s'adossa avec plaisir au dossier de sa chaise.

— La journée a été longue. J'ai bien droit à un peu de réconfort ! Comment faites-vous pour allier le travail harassant d'un ranch et l'éducation de vos nièces ?

— Notre conversation restera entre nous ? demanda Owen.

— Promis.

Il déboutonna son manteau, révélant une jolie chemise en flanelle.

— C'était moins difficile quand Doreen, la grand-mère des petites, m'aidait.

— Où se trouve-t-elle en ce moment ?

— En Californie, chez son fils. On doit l'opérer de la hanche.

La serveuse apporta les boissons.

— Pourquoi avez-vous la charge de ces enfants ?

— J'ai promis à ma sœur Judy de m'occuper d'eux. Mais le mois qui vient de s'écouler a été très difficile.

« Un homme de parole, admira Suzanne *in petto*. Une espèce rare, par les temps qui courent. »

— Vous comptez sur les sœurs Bliss pour vous trouver l'épouse parfaite ? J'ai du mal à le croire !

— Pas du tout ! Mais je ne veux pas les brusquer. Ce sont deux vieilles dames charmantes. Elles croient en ce qu'elles font ! Personne ici ne les prend vraiment au sérieux.

— Pourtant, le festival…

— Le festival rapporte de l'argent à la ville. Tout cela provient du fait que le taux de divorce à Bliss est anormalement bas. Personne ne s'en explique la raison. Mais tout le monde en profite ! Ça fait marcher le commerce. Les jumelles croient que tout a commencé avec Horace Bliss, mais…

Comme Owen se taisait, Suzanne le relança.

— Mais ?

— Ceci restera entre nous, n'est-ce pas ? Je ne tiens pas à chagriner Ella et Louisa. Les femmes que Horace a conduites ici étaient des prostituées ! Du temps de la ruée vers l'or. Il voulait planter les racines d'une ville honnête et prospère. Aussi leur a-t-il proposé des terres si elles se mariaient, avaient des enfants, et restaient mariées au moins dix ans. Le miracle est que ça a bien fonctionné ! On ne s'en vante pas, mais c'est ainsi que tout a commencé.

— Pourquoi ne pourrais-je parler de cela dans mon reportage ?

— Nous sommes tous un peu susceptibles à ce sujet…, expliqua-t-il.

Un lent sourire flotta sur les traits de Owen. Un sourire qui charma Suzanne. Lui donna envie d'en savoir davantage sur l'homme assis en face d'elle.

— Vous êtes le célibataire idéal pour mon article, dit-elle sans réfléchir.

Aussitôt, elle se maudit. Que lui prenait-il ? Elle qu'aucun homme n'attirait plus, voilà qu'elle se laissait séduire. Et par qui, je vous le donne en mille ? Par une sorte de géant, habitant d'une bourgade perdue du Montana ! Un rancher affublé de deux nièces à élever !

Owen avala une gorgée de café.

— Je vous l'ai dit, je n'ai pas envie de voir ma vie privée étalée dans un journal. Je ne tiens pas à me ridiculiser.

Du menton, il désigna un groupe de jeunes femmes qui riaient de bon cœur à une autre table.

— Croyez-vous que ces jeunes personnes aient envie d'un homme qui travaille dix-huit heures par jour ? Et qui a déjà deux enfants sur les bras ?

— Beaucoup de femmes trouveraient votre situation intéressante.

— Ah oui ? Si vous en rencontrez une au cours de ce festival, présentez-la-moi !

— Je n'y manquerai pas ! Vous serez au repas, demain soir ?

La serveuse déposa sa commande devant Suzanne. Puis elle glissa un bout de papier entre les mains de Owen.

— Le nom de ma nièce et son numéro de téléphone, expliqua-t-elle. Elle vient passer le week-end à Bliss. Divorcée.

Owen fit un signe poli de la tête.

— Elle aime les gosses, continua la serveuse. Elle-même a des jumeaux. Elle est très dynamique.

— Merci, soupira Owen.

— Au cas où ça vous intéresserait, dit la serveuse en s'éloignant.

Suzanne observa Owen tandis qu'il fourrait le bout de papier dans la poche de sa chemise.

— C'est un début, commenta-t-elle.

— Je connais la nièce en question. Elle n'a pas encore vingt ans.

— Et alors ? C'est un problème ?

Suzanne jeta à son assiette un regard gourmand. Elle saisit une frite entre ses doigts et la savoura.

— Ce que je veux, c'est une femme qui porte sur moi le regard que vous venez de jeter à votre assiette !

Suzanne éclata de rire.

— J'adore manger, dit-elle en entamant son hamburger. Les sœurs Bliss ont l'air sûres de pouvoir vous trouver quelqu'un. Pourquoi ne pas leur faire confiance ?

Désarmé, Owen soupira.

— Si seulement elles pouvaient me laisser tranquille ! Ou alors…

Il hésita un instant. Puis :

— Qu'elles me dégottent la femme idéale, et la fassent livrer au ranch. Voilà !

— Comme au bon vieux temps de Horace Bliss ! s'esclaffa Suzanne. Quand un gars choisissait une femme, la ramenait à la maison, la jetait sur un lit, en profitait bien, avant de lui faire récurer la cuisine !

Owen rit à son tour. Puis, redevenu sérieux, il se pencha vers Suzanne.

— Soyez franche. Aimez-vous vraiment les « rendez-vous galants » ? Sortir avec un type que vous connaissez à peine ? L'écouter parler de son boulot, de son équipe de foot préférée ? Savoir qu'au bout du compte, ce qu'il veut, c'est vous avoir dans son lit ?

Suzanne avala une bouchée.

— Parfois, ça peut être romantique. Merveilleux.

« Jusqu'au jour du mariage ! » ricana-t-elle en son for intérieur.

Owen n'eut pas l'air convaincu. Il acheva son café et fit signe à la serveuse.

— Parfois, c'est amusant, poursuivit Suzanne.

— Amusant ? Quand on est célibataire, cette période de l'année à Bliss n'est pas drôle, croyez-moi !

— Pourtant, tout le monde a l'air de bien s'amuser…

— Et vous ? Etes-vous venue à Bliss en quête d'un époux ?

— Non ! Le mariage ne m'intéresse pas.

Une nouvelle fois, Owen lui décocha ce demi-sourire auquel elle prenait goût.

— Vous n'aimez pas récurer les cuisines, si je comprends bien.

— Bien vu ! dit-elle en terminant son hamburger.

Owen déploya sa haute taille.

— Je dois rentrer, dit-il.

— Merci de m'avoir tenu compagnie. Etes-vous sûr de ne pas changer d'avis ?

— A quel sujet ? demanda-t-il en jetant sur la table un billet de dix dollars.

— Au sujet du reportage. J'aimerais vous suivre…

Les yeux noirs de Owen se rivèrent un instant à ceux de Suzanne. Puis il se pencha et prit Mélanie dans ses bras.

— Faites ce qui vous plaira. Mais c'est gaspiller votre temps.

« Il a raison ! » songea Suzanne lorsque Owen fut parti. Dès demain, elle retournerait voir les sœurs Bliss. Leur demanderait de lui indiquer un autre célibataire candidat au mariage. Mieux valait demeurer à l'écart de Owen Chase. Cet homme surprenant lui donnait de drôles d'idées. Des idées dérangeantes. Comme, par exemple, se lover avec lui sous des couvertures bien chaudes, et faire des bébés.

— Les hommes comme moi vous plaisent, ma biche ?

Suzanne dévisagea l'individu entre deux âges qui lui ouvrait la porte du restaurant.

— Pete, tu laisses entrer le froid ! cria la caissière.

Le cow-boy sur le retour ne se laissa pas démonter par la remarque.

— J'ai rêvé d'une rousse toute ma vie, continua-t-il.

— Merci, mais je ne suis pas ici pour…

— Il est riche, gloussa la caissière à l'adresse de Suzanne. Mais c'est le roi des enquiquineurs ! Méfiez-vous de lui !

L'air déconfit de l'homme déclencha le rire de Suzanne.

— Ravie d'avoir fait votre connaissance, dit-elle plaisamment. Je vous interviewerai peut-être pour mon reportage, qui sait ?

L'homme la suivit dehors.

— Une interview ? répéta-t-il, tout excité.

Le vent glacial fit frissonner Suzanne. Elle fouilla dans son sac, à la recherche de ses clés de voiture.

— Je travaille pour *Romance*.

— Je suis votre homme ! s'exclama-t-il. Pete Peterson, pour vous servir. Appelez-moi quand vous voulez. Je suis dans l'annuaire.

— Promis ! assura Suzanne en s'asseyant au volant de son 4 x 4.

— Je ne suis pas opposé à l'idée d'avoir d'autres enfants ! lui cria l'homme.

Elle agita la main en signe d'au revoir, et claqua sa portière. Finalement, décida-t-elle, les gens de cette ville étaient amusants. Loufoques mais amusants !

Lorsque Owen arriva chez Gabe, son ami était en train de confectionner un gâteau. Il lui offrit une tasse de café. Darcy se plaignit de voir son oncle arriver trop tôt. Elle n'avait pas fini de se vernir les ongles !

La petite cuisine présentait son aspect habituel : des livres un peu partout, des assiettes sales empilées. Des manteaux qui traînaient. Des boîtes de conserve qui n'avaient pas encore trouvé leur place dans le placard.

— On ne peut pas partir tout de suite ! protesta Darcy. Mes ongles ne sont pas secs !

Sur ce, elle remonta quatre à quatre l'escalier pour rejoindre la fille de Gabe. Une grande perplexité s'empara de Owen. Comprendrait-il jamais les adolescentes ? se demanda-t-il.

— Comment ça s'est passé, avec ta belle rousse ? s'enquit Gabe.

Owen prit une chaise. Mélanie s'était réveillée dans la voiture. Depuis, elle gazouillait dans son siège, les yeux grands ouverts.

— Pas mal, répliqua Owen.

Tout en jetant un œil à une recette, Gabe demanda :

— On peut en savoir davantage ?

— Il n'y a pas grand-chose à dire…

Sauf que cette femme avait de merveilleux yeux bleus, songea Owen. Des yeux qui lui donnaient envie de se rouler avec elle dans des draps. Pendant des nuits entières.

— Qu'est-ce que tu fabriques ? demanda-t-il pour faire diversion.

— Un gâteau ! Joe a oublié de me dire qu'il devait en apporter un pour l'école, demain. Sacré gosse !

Tout en rouspétant, Gabe dosa la farine et la versa dans un compotier.

Owen laissa échapper un rire.

— Appelle Ella Bliss sur-le-champ ! Tu as davantage besoin d'aide que moi !

Un œuf roula sur le comptoir de la cuisine et s'écrasa par terre. Owen prit une éponge et nettoya les dégâts. A ce moment-là, Mélanie commença à pleurnicher.

— Merci, vieux, dit Gabe. On est tous les deux dans le pétrin. Mais qui voudrait de nous ? Pas vrai ?

Owen soupira et se pencha vers Mélanie. Une chose était sûre : il savait *qui* ne voudrait jamais de lui : une belle New-Yorkaise rousse aux yeux bleus à vous tourner la tête.

4.

Darcy déposa son bol dans l'évier. Puis elle enfila son anorak, prit son cartable et son casque.

— Oncle Owen… est-ce que tu vas la revoir ?

— Qui ?

— La journaliste aux beaux cheveux roux.

— Sans doute. Pourquoi ?

Immobile dans l'embrasure de la porte, Darcy contemplait son oncle.

— Ce n'est pas une femme pour toi.

Owen avala une gorgée de café.

— Quel genre de femme me conviendrait, selon toi ?

— Quelqu'un comme Mme Moore.

— Maggie est une amie d'enfance. Bien qu'elle soit veuve et libre, je n'ai jamais pensé à elle comme à une épouse possible.

Darcy poussa un profond soupir.

— Tu ne vas pas te marier à une étrangère, juste à cause de Mélanie et moi !

— Ne t'inquiète pas, mon chou. Les femmes qui cherchent à m'épouser ne sont pas foule !

Devant la mine renfrognée de l'adolescente, Owen fit la grimace. S'il avait voulu faire sourire sa nièce, c'était raté !

— Et si les femmes tournaient autour de toi, que se passerait-il ? Mélanie et moi devrions partir ?

— Tu plaisantes, j'espère ! Si je revois Suzanne Greenway, c'est seulement parce qu'elle sera au repas à la fortune du pot, ce soir.

Il avait imprimé à sa voix un ton désinvolte. Alors qu'en réalité, il sortait d'une nuit blanche, peuplée de pensées érotiques où Suzanne Greenway occupait toute la place. Une nuit entière à imaginer la texture de ses boucles rousses. La douceur de sa peau. La plénitude de ses formes.

Au petit matin, il avait repris le cours ordinaire de sa vie. Pas très fier de ses pensées secrètes. Cependant il se trouvait des excuses. Après tout, il n'était qu'un homme ! Qui n'avait pas fait l'amour depuis deux ans. Depuis la soirée d'adieu de son amie Lila Ralston. Tous deux étaient un peu éméchés, ce soir-là. L'émotion aidant, aux petites heures du jour, ils avaient roulé ensemble sur le canapé.

Depuis ce jour-là, plus rien. Parce que son travail au ranch ne lui laissait que peu de temps pour les soirées en ville. Et parce que, dans le fond, faire l'amour sous le coup de l'ivresse ne lui disait rien.

Cette nuit, cependant, il avait éprouvé un doute. Comme un regret d'être un homme à principes. Trop sérieux. Empêtré dans de grandes idées sur l'amour.

— Tu n'oublies pas de venir me chercher ce soir à 21 h 30 ? rappela Darcy.

— Bien sûr, mon chou !

Owen fit quelques pas vers sa nièce et tira gentiment sur sa queue-de-cheval.

— A ce soir, dit-il. Sois prudente.

Darcy plaqua sur la joue de son oncle un baiser rapide, et disparut.

Quelques minutes plus tard, Owen entendit le bruit de la mobylette qui s'éloignait. Comme chaque matin, sa nièce parcourrait les deux kilomètres qui la séparaient de l'arrêt du bus scolaire. Plus tard dans la journée, il récupérerait la mobylette avec son pick-up. Et attendrait Darcy à la sortie de son entraînement de basket-ball. La routine !

Le cœur un peu lourd, il monta à l'étage. Il était temps de lever Mélanie. Quelle ironie ! médita-t-il en gravissant les marches. La femme de ses rêves faisait enfin irruption dans sa vie. Sans prévenir. Mais, à cause des charges qui pesaient sur ses épaules, il n'était plus libre de tenter sa chance.

— La journée s'annonce belle, déclara Ella. Pas de tempête de neige à l'horizon.

La mine morose de sa sœur ne ternit pas sa bonne humeur. A ses yeux, une chose primait sur le reste : le mauvais temps ne gâcherait pas le dîner de ce soir ! Dîner au cours duquel elle ferait son discours d'ouverture du festival. Et elle affectionnait plus que tout cette coutume annuelle.

— Mon speech est fin prêt, claironna-t-elle d'un air satisfait.

Louisa ne manifesta pas le moindre enthousiasme. Au contraire, elle soupira :

— Tu le sais, notre rôle de marieuses ne m'enchante pas, cette année.

— Ne dis pas de sottises ! répliqua Ella. Avec Suzanne Greenway, tous les espoirs sont permis !

Elle prit sa place habituelle en face de sa jumelle. Position stratégique de laquelle elle surveillait la rue. A cette heure matinale, il ne s'y passait rien. Mais bientôt arriverait le car scolaire. Elle se moquait éperdument des enfants. En revanche, un jour ou l'autre, en sortant de son jardin en marche arrière, le vieux

Cameron heurterait le bus scolaire avec sa vieille Buick. Et cela, elle ne voulait le manquer pour rien au monde ! Ce vieux sot ! Pourquoi ne lui interdisait-on pas de conduire ? La chose était pourtant de notoriété publique : il n'y voyait plus rien ! Quant à ses facultés mentales, parlons-en ! Elles avaient diminué au fil du temps, jusqu'à devenir presque nulles ! Mais non ! Monsieur persistait à conduire. Comme si de rien n'était…

— Entre ces deux-là, ça ne peut pas marcher, répondit Louisa. Suzanne ne restera pas assez longtemps pour comprendre la valeur et les mérites de Owen.

Ella protesta.

— C'est une femme intelligente. Et maternelle. Tu as vu comment elle tenait Mélanie dans ses bras ? En plus, figure-toi qu'ils étaient ensemble chez Sam, hier soir ! Missy les y a vus.

Louisa ne s'avoua pas vaincue. Elle haussa les épaules.

— Pure coïncidence, lâcha-t-elle.

— Tu as dit toi-même que Owen flirtait avec elle !

— Ça ne veut pas dire qu'ils doivent s'épouser ! Il a seulement dit qu'il aimait la couleur de ses cheveux. J'espère que c'est une rousse naturelle…

Sur ce souhait, Louisa se leva et lissa sa robe de chambre.

— Je vais m'habiller. Une petite promenade me fera du bien.

— Dans ce cas, prends ta canne, Lou. Et évite l'allée de Cameron. Il n'y voit pas mieux qu'une taupe. C'est bien simple, il ne te remarquerait pas, même si tu agitais un chiffon rouge sous son nez !

Louisa releva le menton d'un air de défi.

— Il m'a pourtant remarquée, autrefois, rappela-t-elle. Mais papa n'a pas accepté qu'il me fasse la cour.

Ella fut secouée d'un petit rire.

— Je me rappelle très bien ! Papa l'a mis dehors de belle façon !

— D'autres hommes m'ont remarquée, continua Louisa. Mais papa ne les trouvait jamais assez bien pour la famille Bliss.

Louisa se rapprocha de la fenêtre. Les yeux perdus dans le vague, elle poursuivit :

— Et voilà le résultat ! Deux vieilles dames qui vivent toutes seules, et s'occupent de marier les autres… De parfaites vieilles filles.

— Quant à moi, le mariage ne m'a jamais attirée, déclara Ella. Je ne supporterais pas de vivre constamment avec un homme. Ils font trop de bruit.

— Un peu de bruit ne nous nuirait pas, rétorqua Louisa.

— Tu as besoin de bruit ? Allume la télévision !

Sur cette réplique péremptoire, Ella se désintéressa du sujet. S'emparant de son discours, elle se mit en devoir de le relire. Une fois de plus, elle apprécia sa phrase d'introduction. Fort bien venue, décida-t-elle en son for intérieur. Propre à captiver l'attention de son auditoire. Elle poursuivit sa relecture attentive.

Elle parvenait à la deuxième page lorsqu'un bruit de ferraille lui fit lever la tête : la vieille guimbarde de Cameron venait de défoncer leur boîte aux lettres.

— La tradition est tout ! commença Ella Bliss.

Dans la salle des fêtes bondée, sa voix grêle, amplifiée par le micro, surmontait avec peine le brouhaha ambiant. Un verre à la main, chacun attendait le signal de l'ouverture des festivités. Une alléchante odeur s'échappait des cuisines. Près du podium, Suzanne prenait des notes.

— En cent trente-sept ans, poursuivit Ella, les arrangeurs de mariages de la ville de Bliss ont apporté le bonheur à des centaines de couples. Depuis les temps anciens où Horace Bliss offrait des épouses aux vaillants artisans de la conquête de l'Ouest.

— De vaillants baiseurs, oui ! commenta une voix masculine derrière Suzanne.

Tout autour, se répandirent des rires étouffés.

Ella poursuivit son allocution. Dressa le tableau historique du développement de la ville. Raconta la longue litanie des couples formés grâce à la magie amoureuse de la ville de Bliss. Fascinée, Suzanne l'écoutait. Bien entendu, tout cela résonnait à ses oreilles comme autant de balivernes ! Pourquoi cette ville détiendrait-elle le secret du bonheur marital ?

Cependant, au fur et mesure qu'Ella déroulait le fil de son inventaire des couples unis grâce à la magie de Bliss, une étrange transformation s'opérait en elle : ses doutes, son cynisme, son ironie s'effilochaient. Perdaient du terrain. « Après tout, pourquoi pas ? » se demandait-elle.

— Mes chers amis, bienvenue au festival de Bliss ! J'espère que vous vous y amuserez et y trouverez l'âme sœur, conclut Ella. La tombola sera tirée au profit de la bibliothèque de la ville. Les badges que vous achèterez serviront à financer du matériel médical pour notre hôpital.

Son discours s'acheva sous les applaudissements bon enfant de l'auditoire.

Owen se glissa sur le banc de Suzanne.

— Comment allez-vous ? demanda-t-il. Déjà mariée ?

Suzanne se tourna vers lui.

— Pas encore ! Et vous ?

— Pas tout à fait ! Mais la nièce de la serveuse m'a déjà coincé deux fois !

Suzanne contempla Owen. Sa tenue lui conférait un charme certain. Il portait un pantalon noir et une jolie chemise à carreaux. Bien mis. Comme s'il comptait trouver sa moitié au cours de ce dîner particulier, songea-t-elle avec une pointe d'envie.

— Cette fameuse nièce est-elle jolie ? demanda-t-elle.

— Elle le serait, si elle n'avait pas les cheveux orange, et des tatouages partout ! Vous n'êtes pas tatouée, au moins ?

— Si ! s'esclaffa Suzanne. J'en ai des dizaines ! Pour tenir les hommes à l'écart, bien sûr…

Owen jeta un regard circulaire sur la foule attablée à de longues tables de bois. Tout le monde riait et bavardait.

— Le stratagème n'a aucune chance de réussir, dit-il enfin. Beaucoup d'hommes ont trop envie d'entamer la conversation avec vous !

— Quelques-uns ont déjà essayé ! Je leur ai dit que j'étais ici pour travailler, et ils m'ont laissée tranquille.

— Ça ne va pas durer ! Dès que vous abandonnerez votre bloc-notes et vous rendrez au buffet, vous verrez…

— Où est Mélanie ?

— Louisa Bliss m'a proposé de la garder pendant quelques heures.

Suzanne sourit.

— Voilà qui explique son absence ! Elle préfère faire du baby-sitting pour son poulain favori !

— Selon ses dires, elle ne se sentait pas l'âme d'une marieuse, aujourd'hui.

— Vous ne m'évitez pas, constata Suzanne. Dois-je en conclure que vous me ferez la grâce d'une interview ?

— Pas du tout. Je suis venu ici parce que j'en avais fait la promesse aux sœurs Bliss. C'est tout.

A cet instant, Callie, une jolie blonde, s'approcha de Owen par-derrière. Elle posa ses deux mains sur ses épaules.

— A la recherche du grand amour ? le taquina-t-elle.

Sans même se retourner, Owen répliqua en souriant :

— Je contribue juste à une bonne cause : celle de notre bibliothèque.

La jeune femme s'assit à côté de lui et poursuivit sur le même ton :

— J'entends dire que tu cherches une mère pour tes nièces ?

Puis, se tournant vers Suzanne :

— Vous êtes la journaliste, je suppose ? Moi, je suis Callie Whitlow. Callie, un diminutif pour Calamity, expliqua-t-elle en souriant. Petite, j'étais un vrai diable !

— Vous êtes ici pour le festival ? demanda Suzanne.

— J'habite Bliss. Mais je ne suis pas encore mariée, au grand désespoir de ma grand-mère, Grace Whitlow ! Elle et ses amies ont la tête pleine de célibataires faits sur mesure pour moi !

Rejetant la tête en arrière, elle partit d'un grand rire. Puis elle bondit sur ses pieds :

— Tiens, voilà justement grand-mère ! A tout à l'heure, Owen ! Réserve-moi une valse, demain soir !

Elle disparut dans la foule, laissant derrière elle un sillage de bonne humeur. Suzanne la suivit du regard.

— Elle a l'air de bien vous aimer, remarqua-t-elle.

— Moi aussi, je l'apprécie. Nous nous connaissons depuis des années. Voulez-vous manger quelque chose ? acheva-t-il en se levant.

— Volontiers. Me permettez-vous de vous suivre tout au long de la soirée ? J'aimerais voir comment vous allez vous y prendre.

Owen soupira.

— Je ne participe pas à cette mascarade, je vous l'ai déjà dit ! Si je souhaitais me marier, je n'aurais pas attendu aujourd'hui.

— Pourquoi n'êtes-vous pas encore marié ? demanda Suzanne en le suivant.

— Parce que je n'ai pas encore rencontré la femme idéale. Mais je n'ai pas renoncé pour autant.

— Alors, cette année, vous vous en remettez aux marieuses et à leur magie ?

— Pourquoi pas, finalement ? Regardez autour de vous. Vous verrez des tas de couples heureux.

Une tristesse fugitive traversa le regard de Owen. Le cœur de Suzanne se gonfla une fois de plus d'un sentiment indéfinissable. Une envie subite de prendre dans ses bras cet homme malheureux. De le réconforter. De le mettre dans son lit. Cependant, elle coupa court à cet accès de sentimentalité. Mieux valait se concentrer sur le buffet ! décida-t-elle en prenant une assiette.

— Et vous ? s'enquit Owen. Avez-vous déjà eu envie de vous marier ?

— Une fois.

— Et alors ?

— Un homme est entré dans ma vie, puis en est ressorti. Point final.

Et pour rien au monde elle ne succomberait de nouveau au piège de l'amour romantique ! songea-t-elle. Surtout pas avec un rancher solitaire. D'ailleurs, à la moindre tentation, l'antidote se présentait toujours de lui-même : le souvenir du naufrage de ses noces avortées. Rien de tel pour lui remettre les pieds sur terre !

— Je meurs de faim ! assura-t-elle en se servant.

Owen affronta le regard de Gabe.

— J'ai essayé ! affirma-t-il.

Trois fois ! songea-t-il. Avec trois jolies jeunes femmes. Chaque fois, la conversation s'était effilochée au bout de quelques minutes. A aucun moment il n'avait pu se résoudre à leur donner un rendez-vous.

— Tu manques d'entraînement, mon vieux, c'est tout, expliqua Gabe.

— Disons plutôt que… ces trois femmes étaient charmantes, mais elles ne me disaient rien.

— Pourquoi pas Callie ? Vous vous entendez bien.

— Elle est trop jeune. Trop évaporée pour moi.

— Et notre nouvelle boulangère ?

— Pas mon type. Et toi, elle ne te plaît pas ?

— Elle est chouette, mais je ne la vois pas vivre dans un ranch. De toute façon, je ne cherche personne. Si je suis ici, c'est parce que les enfants passent la nuit chez ma mère. J'ai eu envie de voir comment ça marchait pour toi.

Les yeux de Owen se posèrent alors sur Suzanne. A une dizaine de mètres de lui, elle interviewait un couple d'âge moyen. Un homme plus jeune vint se greffer à leur conversation. Un des jeunes frères Lackland, constata Owen avec dépit. Un gars plein d'impudence. Qui se croyait toujours tout permis. Même le pire.

Quand l'autre frère se joignit au groupe, Owen fronça les sourcils. Il n'aimait pas ça du tout. Mais alors, pas du tout !

— Vieux… elle est assez grande pour se défendre toute seule, lui glissa Gabe.

— J'en doute.

— Si elle te plaît tant que ça, invite-la chez toi. Après, tu n'y penseras plus.

— Chez moi ? Avec une adolescente dans la pièce à côté ? Et un bébé à nourrir à 4 heures du matin ?

— Elle loge bien quelque part, en ville…

Owen ferma les yeux un instant. Le désir lui donnait le tournis.

— Elle ne s'intéresse pas à moi, dit-il enfin. Tout ce qu'elle veut, c'est me suivre pendant la durée du festival. Voir comment ça fonctionne.

— Accepte, et fais semblant de chercher !

— J'y ai pensé. On a dîné ensemble.

— Et alors ?

— Pendant le repas, sept hommes différents sont venus lui demander son nom et son numéro de téléphone.

Même le vieux Pete Peterson avait tenté sa chance ! s'indigna Owen en son for intérieur. Le simple souvenir de l'épisode lui donnait des boutons !

— Tu as de la chance que Calder soit absent ! dit Gabe. Ta façon de souffrir en silence le ferait hurler de rire !

Calder Brown, le plus riche et le plus fripon des trois amis, aimait les femmes, le whisky, les chevaux. Et par-dessus tout, la liberté. En conséquence, il se méfiait du festival comme de la peste. Selon lui, tout homme jaloux de son indépendance devait à tout prix éviter les sœurs Bliss pendant cette période de l'année. Pour sa part, il ne se fiait qu'à son flair. Ne croyait qu'aux rencontres sans lendemain. Qu'il multipliait avec un appétit insatiable.

— Je crois qu'il est à Las Vegas, poursuivit Gabe.

Las Vegas… Owen envia Calder. Si seulement il se trouvait à Las Vegas, en cet instant ! songea-t-il. Ça lui éviterait une torture. Le supplice de contempler ce blanc-bec de Lackland en train de faire des ronds de jambe à Suzanne. En fait, remarqua-t-il avec une fureur rentrée, ce sale type lui entourait les épaules de son bras. Incroyable ! Le goujat se permettait de la *toucher* !

— Tu as vu ça ? gronda-t-il entre ses dents à l'adresse de Gabe.

— Ne t'inquiète pas ! Regarde, elle vient de se dégager. Prends-la, si tu la veux tant que ça !

Owen avala sa salive avec difficulté.

— Je la veux comme je n'ai jamais voulu aucune femme, souffla-t-il.

— Dans ce cas, invite-la à boire un verre chez toi.

— Je ne peux pas. Je dois reprendre Mélanie chez Louisa. Et Darcy m'attend.

— Darcy peut coucher chez moi. Quant à Mélanie, endormie ou réveillée, elle est toujours sage. Saisis ta chance, bon sang ! Cette femme te plaît. En plus, elle veut te suivre pas à pas. Dis-moi combien de femmes t'ont fait cette proposition, Chase ?

Owen ne put s'empêcher de sourire.

— Aucune ! répliqua-t-il.

— Alors ! Tu serais fou de ne pas saisir la balle au bond !

— Et toi ? Tu n'es pas en chasse non plus, si je ne m'abuse.

Plus que tout autre, Owen savait pourquoi Gabe ne courait pas les filles. Le souvenir obsédant de sa chère Maggie en était la cause. Cependant, par discrétion, il n'aurait pour rien au monde fait allusion à la disparue. Sauf si Gabe avait abordé le sujet. Mais Gabe ne l'abordait jamais.

Soudain hérissé, Owen se détourna de Gabe.

— Voilà que Lackland remet ça ! dit-il en s'éloignant de son ami.

— Vas-y doucement, vieux. Pas d'effusion de sang !

Suzanne vit Owen se lever. De toutes ses forces, elle pria pour qu'il s'approche d'elle et s'arrête un instant ! Au moins, qu'il vienne lui dire bonsoir ! Toute la soirée, elle avait eu envie de lui demander une dernière fois de lui accorder un entretien pour son journal. Mais en fin de compte, elle y avait renoncé. Les frères Lackland étaient tombés à pic. Ils lui avaient offert leurs services. Elle avait accepté. Même si leur charme de jeunes loups n'arrivait pas à la cheville de l'attrait qu'elle éprouvait pour le rancher solitaire et ses deux adorables nièces.

Elle avait renoncé à utiliser Owen Chase pour son reportage. Mais pas au désir de lui parler. Parmi tous les inconnus qu'elle côtoyait depuis son arrivée à Bliss, il était le seul à lui inspirer une totale confiance. Comme si elle le connaissait depuis toujours. Quelque chose en cet homme la troublait profondément. Lui donnait envie de rester dans cette ville. D'apprendre à conduire un pick-up. De connaître le chemin de son ranch.

Imposant, Owen s'arrêta en face de Suzanne. Il gratifia les frères Lackland d'un regard orageux qui les fit reculer d'un pas.

— Voulez-vous que je vous raccompagne ? demanda-t-il à Suzanne.

— Plus tard, ce sera volontiers. Bien que je loue une chambre à deux pâtés de maisons d'ici.

Owen prit le bras de Suzanne et se mit en devoir de fendre la foule. Mais elle renâcla.

— Pas tout de suite ! Il n'est que 9 heures, et je veux prendre une photo des deux frères.

Insensible à ses protestations, Owen l'entraînait.

— Est-ce qu'ils vous embêtaient ?

— Bien sûr que non !

Elle sortit son appareil photo de son sac et se tourna vers les jeunes gens.

— Allez, les gars ! Un beau sourire ! dit-elle d'un ton encourageant.

La photo prise, Suzanne les remercia. Les frères jetèrent un regard furtif à Owen. Sans attendre leur reste, ils soulevèrent leur chapeau en signe d'au revoir et s'éloignèrent.

Etonnée, Suzanne se tourna vers Owen Chase :

— Vous les avez fait fuir ! Pourquoi ?

Owen se contenta de sourire, visiblement satisfait de lui-même.

— Où logez-vous ? demanda-t-il.

— Dans une sorte de pension. Le Blissful Nights. Tenu par une certaine Grace Whitlow.

— Etes-vous allée chez Cinderella ? Il s'agit d'un endroit où on loue des robes de mariée. Ça pourrait être intéressant pour votre article.

— Je m'y suis rendue ce matin. Ils ont un choix impressionnant !

— A l'extérieur de la ville, il y a aussi une auberge, le Wedding Bell Blues. On y organise des dîners de mariage tout simples. Les gens s'y marient en jean.

— Le festival est vraiment lucratif pour la ville ! s'exclama Suzanne.

— Pas seulement le festival ! Les gens viennent ici en voyage de noces. Ils pensent que ça leur portera chance pour leur vie commune future.

Suzanne nota le renseignement dans sa tête. A exploiter pour son reportage.

— Combien croyez-vous que la soirée ait rapporté pour la bibliothèque ? demanda Suzanne.

— Ella vous renseignera demain. Elle sait tout !

Comme ils passaient devant la porte des cuisines, Owen l'entrouvrit et cria en direction de Darcy :

— Je reviens dans un quart d'heure. Attends-moi !

Puis, se tournant vers Suzanne, il expliqua :

— Darcy et toute l'équipe de basket-ball se sont portées volontaires pour faire la vaisselle. Ici, tout le monde participe.

Emmitouflés dans leurs vêtements chauds, ils se retrouvèrent dans la froidure de la rue. Suzanne allongea le pas pour s'accorder à la cadence de son compagnon. Une fois installée dans le pick-up de Owen, elle le rassura :

— Vous êtes sauvé ! Je ne vous ennuierai plus avec mon reportage.

— Sauvé ?

— Ces gentils garçons… les deux frères… ils m'ont invitée au bal de demain. Quant à Pete Peterson, il accepte que je le suive à la trace pendant le festival.

Contrarié, Owen ne semblait pas pressé de démarrer. Les sourcils froncés, il contemplait Suzanne sans bouger. Une statue de pierre.

Le froid pénétrait Suzanne.

— Si vous mettiez le chauffage…, suggéra-t-elle.

— Les frères Lackland ne sont pas de gentils garçons, rétorqua enfin Owen. Et le vieux Pete, malgré son air inoffensif, n'est pas né de la dernière pluie non plus.

Il mit le moteur en marche.

— Je suis capable de me défendre contre les hommes trop entreprenants. New York n'est pas un vestiaire d'enfants de chœur, vous savez !

Aussitôt, Owen se rembrunit.

— Dans ce cas, c'est parfait, grommela-t-il entre ses dents.

La voiture s'engagea dans la rue principale. Navrée de sa maladresse, Suzanne ne savait quoi dire. D'un côté, l'intérêt que Owen lui manifestait la touchait. Mais, de l'autre, elle se débrouillait seule dans la vie depuis l'âge de dix-huit ans. Et cela lui convenait parfaitement !

Ils arrivèrent en vue de la grande maison blanche où Suzanne avait loué une chambre. Owen se gara mais n'éteignit pas le moteur.

Suzanne tenta de rattraper ses paroles malheureuses.

— Ecoutez… J'apprécie votre aide à sa juste valeur.

— Oubliez ce que j'ai dit, rétorqua Owen.

Le cœur de Suzanne se serra. Jamais auparavant elle n'avait rencontré un homme comme lui. Pour rien au monde elle n'aurait voulu le blesser. Bien au contraire. Elle aurait aimé qu'il se tourne vers elle, la regarde en face. Mais il s'obstinait à détourner la tête.

Dans un effort pour le convaincre, elle se pencha vers lui et lui toucha le bras.

— J'aurais beaucoup mieux aimé vous choisir, expliqua-t-elle. Ce matin, j'ai téléphoné à mon éditrice. Je lui ai parlé de vous et de vos nièces. Et des sœurs Bliss et de leur liste de célibataires. Elle était fascinée !

Les yeux de Owen s'attardèrent sur la main de Suzanne. Posée sur son bras.

— Redites ce que vous venez de dire.

— Elle était fascinée.

Owen secoua la tête.

— Ce que vous avez dit *avant,* rectifia-t-il.

Suzanne lui sourit.

— J'aurais beaucoup mieux aimé vous choisir ?

Un étrange sentiment frémit sur les traits de Owen.

— Savez-vous qu'il est dangereux de déclarer ça à un homme ? Surtout s'il se trouve en haut de la liste des sœurs Bliss !

La remarque amusa Suzanne. Néanmoins, elle n'eut pas le temps d'en rire. Owen se pencha et l'embrassa...

5.

Owen avait-il eu l'intention d'embrasser Suzanne ? Pas jusqu'à ce qu'elle lui décoche ce sourire enchanteur, en tout cas ! Pourtant, la conjugaison de ce sourire et de la pénombre qui régnait dans la voiture avait eu raison de lui. Sans parler de la frustration qui le tenaillait en permanence depuis la veille. L'instinct avait alors supplanté sa réserve naturelle. Il avait attiré la jeune femme contre lui et l'avait embrassée.

Les lèvres soyeuses de Suzanne palpitaient sous les siennes. Au premier abord, elle avait paru surprise. Mais cela n'avait pas duré. Elle s'était vite détendue. A présent, elle lui rendait son baiser avec ardeur. Ses doigts emmêlés dans les boucles rousses, il se sentait au paradis. Leurs vêtements épais l'empêchaient d'éprouver contre le sien le corps de la jeune femme. Mais cela n'avait pas d'importance. Une seule chose comptait : elle ne le repoussait pas, bien au contraire. Cela lui suffisait. Pour le moment.

Oubliait-il où ils se trouvaient ? En pleine rue ! Mais tant pis ! Owen jetait par-dessus bord responsabilités et devoirs. N'avait plus cure du qu'en-dira-t-on. Il n'était pas un saint, après tout ! Rien qu'un homme. Un homme pour qui la tentation devenait trop forte. Surtout maintenant, où Suzanne entrouvrait ses lèvres charnues, où leurs langues se mêlaient en un lent ballet voluptueux.

Quelque part au fond de sa tête, il avait une vague conscience du danger. Mais il cessa très vite de penser. Il n'était plus qu'un corps fiévreux, à la recherche de la plénitude. Malgré ces deux années sans sexualité, il savait toujours embrasser, songea-t-il avec plaisir dans la brume de son cerveau. En revanche, il avait oublié à quel point il est difficile de faire l'amour à l'avant d'une voiture !

Surtout lorsqu'un énergumène fait des appels de phares et klaxonne derrière vous, remarqua-t-il soudain. Sur-le-champ, il se raidit. Suzanne se dégagea de ses bras.

Fou de frustration, Owen jura entre ses dents. La personne qui se permettait cette intrusion dans son intimité le lui paierait ! décida-t-il en son for intérieur.

— Quel est ce... ? commença-t-il.

— Laissez, murmura Suzanne. Il vaut mieux que je rentre.

En moins de temps qu'il n'en faut pour le dire, elle quitta la voiture. Claquant la portière derrière elle, elle courut vers le porche éclairé de la pension de famille, et gravit la volée de marches.

Owen demeura bouche bée. Il avait tant de choses à lui dire ! Par exemple, qu'il acceptait de figurer dans son reportage. Qu'il la conduirait au bal le lendemain. Si cela lui faisait plaisir, il irait même jusqu'à danser avec elle. Tant pis pour le ridicule ! Acculé, il renonçait à être un célibataire solitaire.

Mais avant, il avait une tâche à accomplir : régler son compte au plaisantin qui avait interrompu son duo avec Suzanne Greenway. Ensuite seulement, il récupérerait ses nièces.

Grace Whitlow semblait attendre Suzanne derrière la porte.

— Vous êtes-vous bien amusée ? demanda-t-elle d'une voix suave.

— Très bien. J'espère ne pas vous avoir réveillée ?

— Pensez donc ! Il n'est que 21 h 30 !

Elle referma la porte derrière Suzanne.

— Le dîner vous a-t-il plu ? Je vous ai aperçue au cours de la soirée. Avez-vous trouvé un homme pour votre reportage ?

Suzanne ne souhaitait qu'une chose : se retrouver seule dans sa chambre. Sous la couette. Pouvoir penser tranquillement à Owen. Le seul homme qu'elle aurait aimé faire figurer dans son article.

— Tout le monde s'est montré très serviable, répliqua-t-elle avec patience. J'ai recueilli deux ou trois très bonnes interviews.

— Et puis... Owen Chase vous a raccompagnée, n'est-ce pas ? Quel garçon prévenant...

Pas de vie privée possible à Bliss ! nota Suzanne avec une pointe de fatalisme. Mme Whitlow les avait-elle épiés derrière ses persiennes ?

— N'ai-je pas entendu quelqu'un klaxonner ? reprit Grace Whitlow.

Suzanne haussa les épaules et détourna la conversation.

— J'ai fait la connaissance de votre petite-fille, Callie.

— C'est une bonne petite, malgré les apparences. Il lui manque un peu de plomb dans la cervelle...

Suzanne fit quelques pas en direction de l'escalier.

— Elle est très jolie, en tout cas, affirma-t-elle.

Mme Whitlow soupira.

— Sans aucun doute. Mais c'est encore une écervelée. Voulez-vous une tasse de thé ?

— Merci, mais je vais me coucher.

— Votre chambre est-elle assez confortable ? En fait, c'est la plus jolie de la maison.

La patience de Suzanne se trouvait mise à rude épreuve.

— Elle est charmante, assura-t-elle en posant le pied sur la première marche de l'escalier.

— Je sers le petit déjeuner entre 7 heures et 9 heures. Mais pour les lève-tard, je laisse toujours du café et des viennoiseries dans la salle à manger.

— C'est parfait ! Bonne nuit, madame.

Suzanne se hâta vers sa chambre au deuxième étage. La maison, de style victorien, possédait des parquets cirés, sur lesquels étaient jetés des tapis orientaux. De lourdes draperies de velours encadraient les fenêtres à petits carreaux. Sa chambre, peinte en ocre jaune, était meublée d'une belle table en cerisier et d'un lit à baldaquin, recouvert d'une couette imprimée de grosses roses jaunes. L'ensemble dégageait une impression de confort raffiné.

En quelques gestes rapides, Suzanne fit sa toilette. Puis elle se glissa avec ravissement sous la couette. Son imagination fit le reste. Encore et encore, elle repassa dans sa tête le film du baiser que lui avait donné Owen Chase. Un baiser très excitant.

Le désir est toujours très excitant, convint-elle en son for intérieur. A condition de ne pas le confondre avec les grands sentiments. L'attirance physique est une question d'hormones. De la chimie pure et simple. Si on y ajoute une dose de frustration, le mélange devient explosif. Ça ne va pas au-delà.

Et pourtant… le baiser de Owen Chase avait quelque chose de particulier. Elle qui le prenait au départ pour un homme maladroit ! Un de ces hommes qui touchent rarement une femme, et ne savent comment s'y prendre. Il avait au contraire fait montre d'une expertise à couper le souffle. Au point qu'elle en rêve dans son lit ! Comme une midinette !

Au point qu'elle en oublie le postulat essentiel de sa nouvelle vie : éviter toute relation intime avec les hommes. A tout prix.

*
* *

— La petite a dormi comme un ange, murmura Louisa.

Owen entoura Mélanie dans une couverture et la serra contre sa poitrine.

— Merci beaucoup pour votre aide, Louisa. Ça m'a rendu service.

— Je serai ravie de la garder de nouveau. Ce n'est pas facile de sortir le soir lorsqu'on a un bébé.

— Presque impossible, reconnut Owen. Mais je ne suis pas homme à beaucoup sortir le soir.

Louisa le précéda jusqu'à la porte d'entrée.

— Mais… il faut bien sortir, pour pouvoir ramener à la maison la femme que tu as choisie.

La main sur le bouton de la porte, Owen s'immobilisa.

— Quelle femme ? demanda-t-il.

— Aucune en particulier… à moins que tu n'aies quelqu'un en tête ?

— Non, mentit Owen. Personne.

— Et cette charmante Suzanne Greenway… as-tu décidé de l'aider pour son reportage ?

Owen trépignait intérieurement. Il n'avait qu'une hâte : raccompagner les enfants à la maison.

— J'y pense, répliqua-t-il.

— Tu te feras coiffer au poteau, si tu ne fais pas attention, avertit Louisa. Enfin, ça ne me regarde pas. Je ne joue plus les marieuses. Je préfère me consacrer au baby-sitting.

Elle s'effaça enfin pour laisser passer Owen.

— Je te garderai Mélanie, demain soir, si tu veux aller au bal. Apporte son petit lit. Elle peut passer la nuit ici.

— Merci de me le proposer. Bonne nuit, Louisa.

Enfin libéré, Owen se hâta vers le pick-up. Darcy l'attendait sur la banquette arrière. Elle l'aida à sangler Mélanie dans son siège.

Lorsque Owen eut démarré, il sentit sur son épaule la petite main de Darcy.

— Oncle Owen ?

— Oui ?

— Je t'aime.

— Moi aussi, mon chou. Tu vas bien ?

— Maman me manque.

Owen conduisit quelques instants en silence. Puis il dit d'une voix étranglée :

— A moi aussi.

— Tu vas te marier ?

— Personne ne voudra de moi.

Le visage ravissant d'une jeune femme aux boucles rousses s'imposa à lui. Sa bouche délicatement dessinée. Son parfum. Des idées lui tourbillonnèrent dans la tête.

— La mère de ma copine Pam s'est remariée. Maintenant, ils habitent tous chez son beau-père. Et Pamela est malheureuse.

— Nous ne déménagerons pas. Même si j'avais *trois* femmes !

Il espérait de toutes ses forces la faire sourire. Mais un coup d'œil dans le rétroviseur le renseigna. Sa nièce conservait le même air grave. Préoccupé.

— Darcy ?

— Ouais ?

— Ne t'en fais pas. Rien ne va changer.

— Promis ?

— Juré.

L'image de Suzanne se présenta de nouveau à lui. Même s'il la revoyait, il n'aurait plus l'occasion de se retrouver seul avec elle dans l'obscurité. De toute façon, dans une semaine, elle serait partie. Alors…

A bien y réfléchir, c'était mieux ainsi. Par conséquent, pourquoi s'exciter, se tourmenter, pour une femme qui ne lui appartiendrait jamais ? Il était bien trop raisonnable pour cela.

En tout cas jusqu'à aujourd'hui.

Comme chaque samedi matin, les quatre vieilles dames prenaient leur petit déjeuner dans le salon de thé du Bowling Club de Bliss.

— Je commence à douter que cette New-Yorkaise soit la femme qu'il faut pour notre Owen, déclara Ella de but en blanc.

A cette annonce, trois paires de sourcils se soulevèrent en même temps. Grace Whitlow fut la seule à s'exprimer.

— C'est pourtant une jeune femme charmante, dit-elle. Mais peut-être sais-tu à son sujet quelque chose que nous ignorons ?

Ella posa sa tasse sur la table d'un air théâtral, avant de révéler la nouvelle :

— Hier soir, Owen a perdu son sang-froid et a presque frappé Pete Peterson.

— Jamais Owen ne frapperait un vieil homme ! protesta Louisa.

— J'ai dit « presque », scanda Ella. Il a reconnu Pete à temps.

Elle tenait l'information de source sûre : la propre sœur de Pete Peterson. Cette hurluberlue qui promenait son ridicule petit chien par tous les temps !

— Mon Dieu ! s'exclama Grace. Owen a raccompagné Suzanne. Ils sont restés un petit moment dans le pick-up. Nous savons toutes ce que cela veut dire…

Ella hocha la tête d'un air entendu. Même si, en quatre-vingt-un ans, elle ne s'était jamais trouvée seule avec un homme dans une voiture.

— Ensuite, ont retenti des coups de Klaxon, poursuivit Grace. Aussitôt, Suzanne a jailli hors de la voiture. Mais je ne sais rien de ce qui s'est déroulé ensuite.

— Pete voulait seulement plaisanter, reprit Ella.

Missy intervint de sa voix douce :

— Pauvre Pete… il a toujours eu un sens de l'humour douteux… Quant à sa sœur, elle exagère souvent. L'autre jour, par exemple, elle affirmait avoir découvert le Velcro, et prétendait que quelqu'un lui avait volé l'idée. Ça vous paraît crédible ?

— Ne nous égarons pas, mes amies, dit Grace. En quoi Suzanne Greenway n'est-elle pas une femme pour Owen ?

Ella soupira.

— Nous nous sommes peut-être trop précipitées. Nous ferions mieux d'établir une liste des femmes disponibles de notre ville. Plutôt que de nous fier à des étrangères que nous ne connaissons pas.

— Hier soir, tu disais qu'ils allaient très bien ensemble, pendant le dîner ! protesta Missy. Tu devrais être satisfaite de savoir qu'ils se sont attardés un moment dans la voiture de Owen.

Elle sortit de son sac à main un petit bloc-notes et un stylo, et demanda :

— Tu la trouves trop… directe pour Owen ?

— Nous ne savons rien d'elle, répéta Ella. Peut-être n'a-t-elle pas la moindre intention d'épouser qui que ce soit…

— Tu crains qu'elle ne brise le cœur de notre Owen ? demanda Grace. Elle n'est pas du genre à s'amuser d'un homme, à mon avis. Si tu voyais sa chambre ! Rangée ! Propre comme un sou neuf ! Très polie, avec ça…

Mais Ella ne s'en laissait pas compter. Suzanne Greenway lui avait tourné la tête, au début, reconnut-elle *in petto*. Maintenant, elle redevenait lucide : cette jeune femme fréquentait Bliss pour écrire son reportage. Pas pour trouver un mari. Dès qu'elle aurait réuni les informations nécessaires, elle s'en irait. C'était aussi simple que ça. Mais si Owen s'attachait à elle, il en pâtirait. Et cela, elle ne le voulait sous aucun prétexte.

— Si Owen souffre, ce sera notre faute. Nous aurons son malheur sur la conscience.

— Trop tard, déclara Grace. Hier soir, ils embuaient les vitres de la voiture. En plus, depuis combien de temps n'avions-nous pas vu Owen en ville sans ses nièces un vendredi soir ?

Jusqu'à cet instant, Louisa s'était tue. Elle but une gorgée de thé, et parla enfin.

— Hier soir, quand il est venu chercher Mel, il avait l'air malheureux. L'esprit ailleurs. C'est bon signe, non ? Un homme amoureux a toujours l'air un peu maladif.

Sourcils arqués, Ella s'informa d'une voix pincée :

— Tu as gardé Mélanie sans me le dire ?

Sa sœur répliqua sur le même ton :

— Je ne te dis pas tout, figure-toi ! En outre, tu es partie avant que j'aie ma grande idée.

Ella plissa le front. Elle n'aimait pas du tout les manigances de sa jumelle derrière son dos.

— Quelle grande idée ?

— La meilleure façon d'aider Owen à se trouver une épouse est de lui garder le bébé. Pour qu'il ait les mains libres.

Enchantée d'elle-même, Louisa retenait à peine un sourire de triomphe.

— Et j'ai d'autres idées, annonça-t-elle.

Sa jumelle la contempla d'un air perplexe.

— Je crains le pire, soupira-t-elle.

Sans se laisser démonter, Louisa regarda tour à tour sa sœur et ses amies.

— J'y ai bien réfléchi. En plus d'aider Owen Chase, je veux me trouver un mari. Avant qu'il ne soit trop tard, ajouta-t-elle avec un sourire.

Ella roula les yeux au ciel.

— Ma pauvre Lou ! Il est *déjà* trop tard !

— Je ne suis pas encore morte, que je sache, protesta Louisa. Je vais me chercher un homme. Je suis passée à côté de la vie. C'est pour ça que je ne suis pas dans mon assiette, ces temps-ci.

— Balivernes ! déclara Ella. Nos vies ont été pleines et heureuses.

— Des vies sans volupté, rétorqua Louisa.

— Parle plus doucement, lui intima Ella en jetant autour d'elle un regard confus.

Grace se pencha vers Louisa.

— Crois-moi, ma chère. Le sexe, c'est surfait, assura-t-elle.

— Au contraire ! protesta Missy. C'est merveilleux !

Les trois femmes la dévisagèrent. Elle rosit.

— Je le sais, quand même ! se défendit-elle. J'ai été mariée cinquante et un ans.

— Je te crois, Missy, dit Louisa. Et j'aimerais en faire l'expérience.

Le tour qu'avait pris la conversation n'amusait pas du tout Ella. S'adressant à sa jumelle, elle ironisa :

— Tu veux peut-être t'acheter des sous-vêtements coquins dans Victoria Street ?

— Je n'aime pas conduire l'hiver, rétorqua Louisa. Mais j'ai commandé le catalogue.

— Tu as peur de conduire l'hiver, mais tu t'apprêtes à garder un bébé, à trouver un mari et à faire l'amour ! s'esclaffa Ella. Dois-je te rappeler ton âge, Lou ? Tu as raté la caravane il y a des décades !

Missy éclata de rire.

— Comme tu es drôle, Ella !

— Assez parlé de ça ! déclara l'aînée des jumelles. Revenons à Owen et à son épouse potentielle.

Avec un clin d'œil en direction de Missy, Louisa insinua :

— Mais… un mariage bien arrangé n'est-il pas une affaire de « ça », justement ?

— Si nous votions ? suggéra Grace. Toutes celles qui sont en faveur de Suzanne lèvent le doigt !

Trois mains se levèrent. Agacée, Ella tambourina des doigts sur la table.

— Etablissons la liste d'autres femmes possibles, au cas où, insista-t-elle.

— Donnons sa chance à Suzanne, proposa Missy.

— Je suis d'accord, déclara Grace.

Du coin de sa serviette, elle se tapota les lèvres. Puis elle ouvrit son sac à main.

— De mon côté, je ferai ce que je pourrai auprès de Suzanne. Mais Owen ne doit pas traîner. Cette jeune femme est belle. Beaucoup d'hommes lui tournent autour.

« Tant mieux ! » songea Ella en son for intérieur. L'événement de la veille démontrait à quel point Suzanne Greenway ne convenait pas à Owen. En effet, s'il avait été dans son état normal, jamais il n'aurait perdu son sang-froid. Cette femme lui tournait la tête. Or, ce qu'il lui fallait, c'était une collaboratrice. Calme et équilibrée, comme lui. Une partenaire. Une mère pour ses nièces. Pas une femme qui le transforme en taureau en rut.

— Nous ferons toutes au mieux, acquiesça Louisa.

— Je souhaite le bonheur de Owen, se défendit Ella.

Louisa tapota gentiment la main de sa sœur.

— Ne te vexe pas, Ella. Tu ne peux pas toujours avoir raison.

Et pourtant, si ! songea Ella. Seulement, les gens ne s'en rendaient pas toujours compte tout de suite…

Suzanne avait pris une grande décision. Dorénavant, pour son reportage, elle se cantonnerait à une attitude strictement professionnelle. Son éditrice avait adoré l'idée d'un papa cowboy en couverture de *Romance*. Elle allait donc lui dégotter une histoire de papa célibataire.

Owen Chase mis à part, il devait bien exister d'autres pères célibataires dans le Montana ? Malheureusement, sa logeuse ne lui fut d'aucune aide sur le sujet. Lorsque Suzanne se leva, Grace était absente. En conséquence, elle prit son petit déjeuner toute seule dans la salle à manger. Les autres pensionnaires étaient sûrement en train d'arpenter la ville. A la recherche de plaisir, de bon temps. D'amour.

Elle travailla à ses notes, mit au point le plan de son article. Jusqu'au retour de Mme Whitlow, en fin de matinée. Après les politesses d'usage, Suzanne imprima un ton désinvolte à sa voix et s'enquit :

— Y a-t-il d'autres pères célibataires à Bliss, à part Owen Chase ?

Grace posa ses paquets sur la table de la cuisine et se mit à ranger ses achats. Jouant les candides, elle fit semblant de réfléchir.

— Un veuf, vous voulez dire ? Non, je ne vois pas…

— Jeudi soir, j'ai fait la connaissance d'un certain Gabe. Il est divorcé ?

— Sa femme est décédée. Mais ce n'est pas un homme pour vous.

— Je ne cherche personne !

— Pas un homme pour votre article, rectifia Grace précipitamment. Gabe est très indépendant. Tenez, mon petit, mettez-moi ça dans le frigo.

Suzanne s'exécuta de bonne grâce. Le réfrigérateur était immaculé, remarqua-t-elle. Comme le reste de la maison.

— Comment parvenez-vous à vous occuper toute seule d'une aussi grande demeure ? demanda-t-elle.

— J'ai été professeur d'économie domestique pendant quarante ans. Ça aide ! De plus, Darcy vient me donner un coup de main, de temps en temps.

Un sourire entendu passa sur son visage.

— D'ailleurs, elle sera là d'une minute à l'autre. Nous allons inviter toute la petite famille à déjeuner. Ce sera sympathique, ne pensez-vous pas ? De la sorte, Owen et vous ferez plus ample connaissance.

Egayée, Suzanne referma le réfrigérateur. Si Owen et elle faisaient plus ample connaissance, ce serait dans un lit. Nus comme des vers. Shocking ! Mesdames les marieuses en frémiraient sans doute d'horreur !

6.

Owen ralentit devant la maison de Grace Whitlow.

— Mme Whitlow veut te parler, déclara Darcy.

— A quel propos ?

Il regarda la grande bâtisse blanche. Où était Suzanne ? se demanda-t-il. Sans doute en train d'arpenter les rues de Bliss. En quête de couples heureux à photographier. Il se gara au même endroit que la veille au soir. Sans crier gare, le souvenir du baiser échangé avec Suzanne surgit dans sa mémoire.

Un baiser qui l'avait d'ailleurs obsédé toute la nuit. Pourtant, au petit matin, à l'issue de bien des tergiversations, il avait pris une décision ferme et définitive : il ne s'approcherait plus de Suzanne. Ne l'embrasserait plus. Sur le moment, cette prise de position l'avait soulagé. Mais voilà que, revenu sur les lieux du forfait, ses résolutions fondaient comme neige au soleil. De nouveau, il frémissait de désir pour cette femme inaccessible.

— Je ne sais pas, répliqua Darcy. Quelque chose en rapport avec le festival, sans doute. Tu n'as pas bonne mine, ce matin. Tu ne te sens pas bien ?

— Je réfléchissais…

— Tu n'as pas oublié que je couche chez Jennifer, ce soir après l'entraînement ? Demain, je prépare avec elle notre exposé d'histoire.

— Pas de problème.

— Tu penseras à venir me chercher ? insista-t-elle avec un sourire.

— Promis, mon chou.

La bonne humeur de Darcy mit du baume au cœur de Owen. Depuis la mort de sa mère, l'adolescente souriait rarement. Et pour cause ! songea-t-il avec mélancolie. La maladie de sa sœur avait plongé toute la famille dans le chagrin. Heureusement, dans sa cruauté aveugle, le destin leur avait malgré tout concédé un cadeau : l'innocente présence de Mélanie. Aux moments les plus noirs, elle les avait égayés. Et leur offrait chaque jour des instants de joie pure.

— Je suis sûre que Mme Whitlow veut te convaincre d'aller au bal, ce soir ! déclara Darcy.

Owen ouvrit la portière arrière du pick-up.

— C'est la saison des mariages ! soupira-t-il avec humour. J'espère survivre à toute cette agitation !

Darcy leva les yeux au ciel.

— Sacré oncle Owen ! Ça te ferait pourtant du bien de sortir avec une femme !

Owen extirpa Mélanie du siège arrière et la serra contre lui. Puis il claqua la portière et suivit Darcy le long du trottoir.

— Les femmes ne se bousculent pas au portillon pour jouir de ma compagnie, mon chou…

— Et pourquoi pas ? Tu n'es pas encore trop vieux. Et pas si mal que ça…

Lançant à son oncle un regard critique, elle modula son point de vue.

— Par contre, pour les vêtements, ça laisse à désirer ! Ta chemise, par exemple ! Elle est d'un vieux jeu…

Pris à contre-pied, Owen contempla sa chemise à carreaux en flanelle.

— Ma chemise ? Qu'est-ce qu'elle a ?

Darcy soupira.

— Trop long à expliquer, dit-elle en sonnant à la porte de Mme Whitlow.

Jouant les offusqués, Owen s'adressa au bébé :

— Mel, tu n'aimes pas mes vêtements, toi non plus ?

La petite fille babilla contre le cou de son oncle, qui se rengorgea.

— Ah ! Tu vois ! Ta sœur me trouve à son goût, elle !

La porte s'ouvrit, et Suzanne apparut dans l'embrasure. Owen ressentit un petit choc dans la poitrine. Cette femme lui coupait décidément le souffle. Quand il rencontrait ses grands yeux bleus, les mots se figeaient dans sa gorge. Il devenait idiot. Carrément.

Aujourd'hui, elle était à peine maquillée. Ses longs cheveux roux tombaient en boucles souples sur ses épaules. Vêtue d'un pull à col roulé noir, d'un pantalon noir étroit et de bottes noires, elle était l'image même de l'élégance simple. Simple et raffinée à la fois. En quel honneur une femme pareille s'encombrerait-elle d'un rancher taciturne ? Qui plus est, un homme affublé d'une chemise démodée !

Mélanie lui tira l'oreille de sa main grassouillette. Il reprit pied dans la réalité.

— Bonjour, parvint-il à dire.

Le bébé tendit à Suzanne ses bras potelés. Elle la prit contre elle et la câlina.

— Comme tu es belle ! s'extasia-t-elle. Tu as les joues toutes roses !

— Le fond de l'air est froid, remarqua Owen. Il va neiger.

De nouveau, il se sentit stupide. N'y avait-il pas mieux à dire que commenter le temps ? Comme si les variations de température dans le Montana intéressaient une belle citadine !

L'attention de Suzanne se concentra sur Owen.

— Vous en êtes sûr ? Ce serait parfait pour mon reportage ! Entrez ! Mme Whitlow vous attend.

79

— J'ai des courses à faire…

Fort à propos, Grace fit son apparition derrière Suzanne.

— Accorde-moi un moment, Owen. J'ai besoin de toi, pour le bal de ce soir.

— Je n'avais pas l'intention de…

— Si tu ne te charges pas de faire passer une bonne soirée à Suzanne, je serai contrainte de faire appel à un autre homme de ma liste, avertit Grace. Une liste fort longue…

— Je… je n'avais pas l'intention de ne pas me rendre au bal, mentit Owen.

Depuis l'échange de baiser avec Suzanne, il devenait une vraie girouette, ironisa-t-il en son for intérieur. Mille fois déjà, il avait changé d'avis au sujet de ce fameux bal ! Cette femme le tourneboulait au point de modifier sa personnalité de fond en comble. En un mot, il ne se reconnaissait plus.

— Qu'attendez-vous de moi, pour ce soir ? ajouta-t-il enfin.

— Il faut que tu montres la ville à Suzanne. Que tu la protèges de Pete, ainsi que des touristes et des ivrognes. Tu me laisseras Mélanie en garde. Je ne sors pas ce soir. Par ce temps, je n'ai pas envie de me casser une jambe sur le verglas ou sur la neige !

— Que le temps ne vous empêche pas de profiter des festivités ! protesta Owen. Je me ferai un plaisir de venir vous chercher et de vous raccompagner, s'il le faut. Quant à Mel, je ne peux pas la laisser.

— Bien sûr que si ! J'ai une chambre d'amis pour Darcy et toi, et un petit lit d'appoint pour bébé. Tu passeras la nuit chez moi. Comme si tu étais en vacances !

— Impossible, insista Owen. Je dois prendre soin du bétail.

— D'accord ! soupira Grace. Mais je garde Mélanie et Darcy pendant que tu seras au bal. C'est une affaire entendue !

Sur ces mots, Grace poussa doucement Owen vers la salle à manger, où la table était dressée.

Darcy servit le café.

— Je dors chez une amie, madame. Nous avons entraînement de basket, ce soir.

— Parfait, mon petit. Maintenant, déjeunons. Toi aussi, Darcy. Le ménage peut attendre.

— Super !

Owen observait sa nièce du coin de l'œil. Très à l'aise, elle déposa la cafetière sur la table et poussa le sucrier vers Grace. Un regret fugace lui transperça le cœur : cette enfant devenait adulte trop tôt ! Puis, comme ses yeux se posaient sur Suzanne, ses pensées prirent un cours différent. La jeune femme installait Mel sur une chaise haute, lui ôtait son manteau rose et son bonnet. Soudain, il fut saisi d'une envie presque irrépressible : les serrer toutes les deux contre lui. Les enlacer dans un même élan.

Grace Whitlow tendit un plat à Suzanne.

— Parlez-nous un peu de vous, lui demanda-t-elle. Avez-vous toujours vécu à New York ?

Suzanne s'exécuta de bonne grâce :

— J'ai été élevée dans le Connecticut. Par un oncle et une tante, puisque mes parents sont morts lorsque j'avais dix ans. J'ai deux sœurs plus âgées que moi. Toutes les deux sont mariées et ont des enfants. Depuis quelques années, j'habite New York.

Penchée en avant, Darcy posa sur Suzanne un regard aigu.

— Alors, nous sommes toutes les deux orphelines, remarqua-t-elle.

— Oui, répondit Suzanne simplement. Ce n'est pas facile, n'est-ce pas ?

Darcy prit une profonde inspiration.

— Non… Le Connecticut, c'est près de New York ? C'est vachement loin du Montana !

— Très loin, convint Suzanne. Et toi, à quoi t'occupes-tu à Bliss ?

— Oh ! Je me partage entre l'école et le sport. Et j'ai un cheval. Oncle Owen et moi faisions beaucoup d'équitation quand grand-mère vivait chez nous.

— La mère du père de Darcy, expliqua Owen.

Peu encline à perdre de vue son objectif, Grace reprit la conversation en main.

— Suzanne, dites à Owen où vous allez cet après-midi. Je suis sûre qu'il peut vous être utile d'une manière ou d'une autre.

Le manège de Grace Whitlow horrifiait Owen. La vieille dame les jetait littéralement dans les bras l'un de l'autre ! Fort heureusement, Suzanne ne semblait pas en prendre ombrage. La question que la jeune femme posa lui montra cependant qu'elle n'était pas dupe.

— Faites-vous partie des marieuses, madame Whitlow ? demanda-t-elle avec un fin sourire.

— Bien sûr ! répondit Grace sans ambages. C'est le festival ! Notre groupe s'est réuni ce matin, et nous avons mis nos plans au point.

— Votre groupe ?

— Vous connaissez déjà Ella et Louisa. Ce soir, vous rencontrerez Missy Perkins.

— Comme vous le voyez, personne n'est à l'abri de leurs manigances ! persifla Owen à l'adresse de Suzanne.

Il avait imprimé à sa voix un ton désinvolte. Presque frivole. Pâle imitation de la légèreté de Gabe, se moqua-t-il *in petto*. Ou de celle de Calder.

— Dans moins de quinze jours, la vie reprendra son cours normal, ajouta-t-il.

Il fit de son mieux pour s'en convaincre. Et s'en réjouir. Autant voir les choses en face : son existence était pleine à craquer, à l'heure actuelle. Par conséquent, il n'y avait pas la moindre place pour la gaudriole. Encore moins avec une femme dont le séjour à Bliss s'annonçait d'emblée éphémère.

Mais au plus profond de lui-même, Owen ne se leurrait pas : tous ces arguments auxquels il se raccrochait n'étaient en fait que mensonges et faux-semblants. Dans le fond, il ne souhaitait qu'une chose : Suzanne Greenway. Dans son lit. Dans sa vie.

Dans la grand-rue, les touristes pullulaient. Beaucoup de couples. Des groupes de trois ou quatre personnes. Dans cette foule compacte, les hommes étaient en surnombre.

Suzanne se tourna vers Owen.

— Vous n'êtes pas obligé de m'accompagner. Au milieu de cette foule, je ne risque pas de me perdre !

— Vous faites le bonheur de Grace Whitlow ! riposta Owen en souriant avec indulgence. Soyez sûre qu'en ce moment même, elle communique par téléphone aux sœurs Bliss le résultat de ses intrigues.

— Vous croyez vraiment que la ville possède un pouvoir particulier qui pousse les gens à se marier ?

Owen grinça des dents :

— Vous n'allez pas vous y mettre, vous aussi !

— Que voulez-vous dire ? s'étonna Suzanne.

— La presse locale publie chaque année la liste des mariages réussis, et compare le taux de divorce très bas de notre ville avec celui du reste du pays. Certains pensent que l'eau de la ville possède des vertus spéciales ! Il y a quelques années, un psy californien a décrété que la ville entière avait une aura particulière !

Sans plus attendre, Suzanne sortit son calepin et griffonna des notes.

— Quelle sorte d'aura ? s'enquit-elle.

— Celle que provoque une forte absorption d'alcool, si vous voulez mon avis !

Suzanne se mit à rire. Puis elle s'empara de son appareil photo.

— Mettez-vous avec Mélanie devant l'enseigne de Sam Le Marieur, demanda-t-elle. Ça fera une très jolie photo.

Owen fronça les sourcils.

— Pas question !

— Vous feriez la une de *Romance*…

En fait, songea Suzanne, elle garderait la photo pour elle. Un secret souvenir de son séjour à Bliss.

— La une de votre journal ? ironisa Owen. Avec la chemise que je porte ?

Comme ils passaient précisément devant la devanture d'un magasin de vêtements pour hommes, Suzanne répliqua du tac au tac :

— Achetez-en une !

— Que reprochez-vous à celle-ci ?

— Rien ! Je ne la vois même pas ! Votre veste la cache !

Cependant, la remarque de Owen à propos de sa chemise surprit Suzanne. Cet homme ne semblait pas conscient de son charme. Et pourtant… Tout en virilité naturelle, sentant bon le cuir patiné, il était fort séduisant. Le voir aux commandes d'une poussette où se lovait un charmant bébé vêtu de rose le rendait encore plus craquant. Aucune femme normalement constituée ne résisterait à pareil spectacle ! La chemise qu'il portait ne changeait rien à l'affaire !

— Ne discutez pas ! lui intima-t-elle. Laissez-moi prendre cette photo. Ce n'est pas pour mon journal. Et je vous en enverrai une copie, pour l'album de Mélanie.

Owen ne débordait pas d'enthousiasme. Mais il obtempéra, et se posta sous l'enseigne avec sa nièce.

— Voulez-vous que je prenne la photo pour vous ?

Prise de court par la question, Suzanne se retourna. Une jeune femme lui souriait. Celle-ci lâcha la main de son mari et expliqua :

— Comme ça, vous serez tous les trois sur la photo…

— Oh ! Je ne…, commença Suzanne.

Mais elle se ravisa aussitôt :

— Ce serait formidable, dit-elle.

En quelques mots, elle expliqua à l'inconnue le maniement de son appareil. Puis elle posa au côté de Owen.

— Un, deux, trois, souriez ! dit la jeune femme.

Suzanne sourit de bonne grâce. Tout en se demandant quelle tête faisait Owen. Contrarié ? Torturé ? Revêche ?

— Merci, dit-elle à la jeune femme. Vous êtes ici pour le festival ?

— Mon mari et moi nous sommes rencontrés ici l'an dernier. Nous y revenons en voyage de noces !

— Vraiment ?

Ebranlée, Suzanne contempla l'inconnue. Elle s'attendrit. Elle et son mari avaient l'air si jeunes ! Si épanouis ! Mais au même instant, lui remonta au cœur l'aversion qu'elle portait à l'institution du mariage. Aux couples heureux. Un goût amer lui envahit alors la bouche ; quelle sorte de femme devenait-elle ? Même pas trente ans, et déjà cynique. Grincheuse. Ce tableau d'elle-même lui fit venir les larmes aux yeux. Par un effort de volonté, elle dissimula son désarroi :

— Félicitations, murmura-t-elle.

Comme le couple s'éloignait, main dans la main, Owen s'approcha de Suzanne.

— Ils sont en voyage de noces, lui expliqua-t-elle. Bliss a encore fait deux heureux. C'est incroyable !

— On s'y habitue. Beaucoup de couples viennent chez nous en voyage de noces.

Ils traversèrent la rue, et se dirigèrent vers la pension de Grace Whitlow.

— Et vous ? demanda Suzanne. Ne voulez-vous pas vous marier, un jour ou l'autre ?

— Ce n'est pas aussi simple que ça…

— Pourquoi ?

Owen prit son temps pour répondre.

— J'ai deux enfants à élever. Les décisions que je prends ont des répercussions sur elles.

— Je vous comprends. Mais… vous n'êtes pas trop seul ?

Owen arrêta la poussette et contempla Suzanne.

— Pour être seul, je le suis. Mais… j'attends la femme idéale.

Cette femme-là aurait bien de la chance, songea Suzanne. L'intermède de la veille dans la voiture avait enrichi sa connaissance de Owen. Elle le savait à présent, sous des dehors calmes et raisonnables se cachait un homme de passion.

Sur-le-champ, une sonnette d'alarme se déclencha dans la tête de Suzanne. Pas question de repenser à la soirée de la veille ! Au baiser viril et fervent que cet homme lui avait donné.

D'instinct, elle allongea le pas et se morigéna. Que diable ! Elle était dans cette ville pour des raisons professionnelles. Pas en tant que candidate au mariage ! Mais tout de même… Owen Chase ferait un excellent époux, un jour ou l'autre. Dieu fasse que la femme de son choix soit à la hauteur de ses espérances, songea-t-elle avec une générosité toute neuve.

Qu'avait-il fait pour mériter cela ? songea Owen en jetant autour de lui un regard désabusé. Le bal avait lieu de 19 heures à 22 heures. Pour que les gens âgés de la ville profitent de la fête ! L'orchestre se composait de musiciens sur le retour. De

86

tous côtés, on ne voyait que têtes blanches et Stetsons vissé sur le crâne.

S'il avait été plus malin, jamais il n'aurait accepté de se plier au désir de ces vieilles dames. Tout homme avisé, soucieux de préserver son indépendance, serait resté à la maison. Aurait regardé la télévision. Consulté ses comptes. Il aurait lu les derniers articles sur l'irrigation dans les grandes plaines. Aurait bercé Mel pour l'endormir. Puis il se serait fait un bon steak, qu'il aurait savouré en pensant à ses tâches du lendemain.

Grâce au ciel, il avait fait preuve d'un minimum de lucidité en refusant l'invitation de Grace Whitlow à coucher chez elle ! Mélanie et lui passeraient la nuit dans leurs lits respectifs. Et sans tarder ! La mauvaise conscience d'avoir laissé sa nièce chez Grace le tenaillait encore. Mel, en revanche, n'avait manifesté aucun déplaisir de le voir partir. Une fois déjà, il était allé vérifier que tout se passait bien.

Sortir n'était pas son fort. Un point c'est tout ! D'ailleurs, s'il était resté chez lui, il ne serait pas en train de valser précautionneusement avec Ella Bliss ! Qu'arriverait-il à la vieille dame, s'il lui écrasait le pied par inadvertance ? Elle se briserait en mille morceaux.

— Ecoute-moi, Owen, lui glissa Ella. Callie est une jeune fille charmante. Un peu… écervelée, je te l'accorde. Mais il faut gratter la surface pour découvrir ses qualités.

— Je sais…, répliqua Owen d'un ton distrait.

Il chercha Suzanne du regard. Elle dansait avec Pete Peterson, enragea-t-il *in petto*. Le niais affichait un air conquérant qui l'horripila. Quant à Suzanne, elle lui souriait. Comme si ce vieux brigand était un être inoffensif.

« Inoffensif, tu parles ! »

— Et puis, poursuivit Ella, il y a la petite fille de ma voisine. N'aimerais-tu pas faire sa connaissance ?

— Je n'ai pas de temps à perdre en rendez-vous galants, vous savez. En fait, je n'avais pas l'intention…

— Je sais. C'est Grace qui t'a contraint à venir ce soir, coupa Ella. Mais tu n'as plus aucune obligation envers cette Suzanne Greenway.

Suivant Suzanne des yeux, Owen tourna lentement sur lui-même.

— Ah bon ? s'étonna-t-il.

— Toute la ville parle de la façon dont tu as rossé Pete hier soir.

Owen ne put s'empêcher de rire.

— Rossé ?

— Sa sœur me l'a raconté.

— Je lui ai seulement dit de cesser ses coups de Klaxon intempestifs. Il était éméché.

Le vieux pochard ! songea Owen. Il ne s'était même pas rendu compte qu'il interrompait un duo amoureux. Son but d'ivrogne était beaucoup plus simplet : attirer l'attention de Suzanne.

— Je ne l'ai pas rossé du tout ! renchérit Owen. Au contraire, je l'ai ramené chez lui. D'ailleurs, voyez vous-même. Pete arbore-t-il la moindre égratignure ?

Ella se sentit confuse. Elle leva vers Owen un regard loyal.

— Excuse-moi d'avoir colporté de fausses rumeurs, mon petit.

— Il n'y a pas de mal…

Le morceau de musique s'achevait. Owen raccompagna Ella à sa table et rejoignit Suzanne.

— Pete a ajouté du rhum dans le punch dès que Louisa a eu le dos tourné, lui murmura-t-elle en riant.

— Il ne vous a pas encore fait des propositions, au moins ?

Suzanne sourit et but une gorgée.

— Seulement deux fois. Si j'accepte de vivre avec lui, j'aurai un cheval. Et un pick-up.

— Et un vieillard dans votre lit. Beau contrat de mariage !

D'un geste assuré, Owen ôta le verre des mains de Suzanne et le déposa sur le buffet.

— Mais… que faites-vous ? protesta-t-elle.

— Je vous emmène ailleurs.

Il lui prit la main et fendit la foule en direction du vestiaire. Là, il récupéra leurs manteaux. Puis il la conduisit jusqu'au parking et la fit monter dans sa voiture.

— Où allons-nous ? demanda Suzanne.

— Au Wedding Bell Blues. Un endroit plus… branché, dirons-nous. C'est là que tout se passe vraiment.

— Formidable ! s'écria Suzanne.

Un sentiment de plaisir envahit Owen. Suzanne était toute à lui, à présent. Chaque fois qu'il se trouvait seul avec elle, il éprouvait une envie dévorante de l'attirer contre lui. De la serrer à l'étouffer. Et ce n'était que la partie avouable de ce qu'il brûlait de faire avec elle.

Dans le fond, peut-être Gabe avait-il raison : il devrait sortir plus souvent !

Owen se gara devant un grand bâtiment à l'orée de la ville. De l'intérieur, leur parvenait une musique country endiablée. Malgré le froid piquant, des clients fumaient une cigarette à l'extérieur, buvaient de la bière, discutaient.

Sans oser regarder Suzanne, Owen éteignit le moteur. Pour la énième fois, il se fit les mêmes recommandations. Attention ! Ne pas se monter la tête. Cette belle jeune femme était une journaliste professionnelle. Pas sa petite amie. De plus, il ne devait sa compagnie passagère qu'aux intrigues de quelques dames âgées. Pour avoir exprimé étourdiment son goût pour les rousses.

Trêve de faux-semblants ! rectifia-t-il aussitôt. La vérité était tout autre. Il se trouvait avec elle parce qu'il ne parvenait pas à s'en tenir éloigné. Il n'en avait pas la volonté.

D'ailleurs, poussé par une force inconnue, il renonça sur-le-champ à ses belles résolutions forgées pendant la nuit, et regarda Suzanne. Ses beaux cheveux roux l'attirèrent comme un aimant. Comment résister ? Il enroula une boucle autour d'un de ses doigts. Il vit les yeux de la jeune femme s'écarquiller. Sa bouche s'entrouvrir. En moins de temps qu'il n'en faut pour le dire, il capitula et couvrit son visage de baisers. Des baisers affamés. Comme s'il n'avait attendu que cela toute la journée. Toute sa vie.

L'envie le démangeait de défaire les boutons du manteau de Suzanne. De glisser ses mains avides sous son pull noir. Dans un éclair de lucidité, il se rappela à temps où il se trouvait : devant un bar, sous les yeux d'hommes qu'il connaissait.

Il détacha ses lèvres de la bouche de sa compagne. S'attarda à regret sur le lobe de son oreille. Puis il se redressa. Pour le moment, il se contenterait de danser avec cette femme ravissante. D'une main légère, il lui lissa les cheveux, et dit d'une voix qu'il souhaitait désinvolte :

— Voyons si nous pouvons trouver quelques couples bien assortis. Pour votre reportage.

Sur ces mots, il ouvrit sa portière. Pour échapper à la tentation, il bondit hors de la voiture. Certains hommes lui adressèrent un signe de tête. D'autres parurent surpris de le voir au Blues un samedi soir.

— Salut, Chase. La nuit est belle, non ? dit l'un d'eux.

— Pour sûr, répliqua Owen.

Il prit le bras de Suzanne. Comme s'il en était le propriétaire.

— Alors, vieux, on vient s'amuser un peu ? demanda un autre.

— Oui, répondit-il calmement.

Mais son attitude exprimait un tout autre message. Presque une menace : Attention ! Défense d'approcher la femme qu'il avait au bras ! Elle était chasse gardée.

Le cœur de Owen battit plus fort. Tout à coup, il prenait plaisir à la soirée.

7.

A l'intérieur du bâtiment se pressait une foule animée. Suzanne lança un regard circulaire autour d'elle.

— Beaucoup de candidates au mariage, commenta-t-elle.

A un bout de la salle se tenait le bar. A l'opposé, l'orchestre occupait un des côtés de la piste de danse. Pleine à craquer. Les yeux écarquillés, Suzanne contemplait la scène. Jamais elle n'avait vu autant de cow-boys réunis en un même lieu !

Owen ignora le commentaire de Suzanne. La prenant par le coude, il la guida au travers de la foule bruyante. Lorsqu'ils atteignirent le bar, il se pencha vers elle et demanda :

— Que buvez-vous ?

La proximité du visage de Owen troubla Suzanne. Qu'elle lève la tête, et ses lèvres frôleraient la joue du rancher. Pourquoi ne pas vivre dangereusement ? se demanda-t-elle. Au moins pour quelques jours. En toute logique, jamais elle n'aurait dû l'embrasser une seconde fois ! Mais maintenant, le mal était fait. Alors… Cet homme possédait à ses yeux quelque chose d'irrésistible. Et puis, autant le reconnaître, ces temps-ci, elle se sentait un peu seule.

Elle leva la tête vers Owen. Lorsqu'elle répondit, ses lèvres effleurèrent le visage si masculin penché vers elle :

— Un rhum Coca.

— Restez près de moi, lui intima Owen.

Il posa ses deux mains sur les épaules de Suzanne, la protégeant ainsi de la bousculade.

Le trouble de Suzanne s'accentua. Les mains de Owen sur ses épaules étaient à la fois protectrices et sensuelles. En outre, la proximité de ce grand corps viril réveillait en elle des désirs oubliés depuis longtemps.

Owen aperçut deux sièges vides, et ils s'y installèrent. Un peu plus tard, sirotant sa boisson, Suzanne observa les danseurs sur la piste. Elle avait le sentiment d'avoir atterri dans un autre monde. Un monde où les gens s'amusaient bien. Beaucoup d'entre eux semblaient d'ailleurs se connaître.

— Alors, vous trouvez des idées pour votre reportage ? demanda une voix derrière elle.

Suzanne se retourna et découvrit Callie.

— Si seulement j'avais pris mon appareil photo ! dit-elle. Accepteriez-vous de m'accorder un entretien ?

— Quand vous voulez ! répliqua la jeune fille. Ma grand-mère se fera un plaisir de vous donner mes coordonnées.

Moulée dans un jean délavé et un T-shirt blanc, Callie paraissait radieuse, le teint un peu avivé par l'alcool et la chaleur ambiante. Elle porta son verre à ses lèvres avant de s'adresser à Owen :

— Ça fait bizarre de te rencontrer deux soirs de suite !

— J'ai décidé de sortir un peu plus souvent, répliqua-t-il.

Callie éclata de rire :

— Moi aussi !

Puis se tournant vers Suzanne, elle ajouta :

— On m'a fait trois propositions, ce soir. Une convenable, et deux pas très sages. Je ne sais laquelle je vais accepter !

— Attention aux ennuis, avertit Owen avec un sourire. Et ne brise pas trop de cœurs !

— Trop tard ! sourit Callie avec insouciance. A tout à l'heure, ajouta-t-elle en s'éloignant. Amusez-vous bien !

Comme l'orchestre entamait un nouveau morceau, Owen se décida. Prenant la main de Suzanne, il proposa :

— Dansons. C'est un slow de Willie Nelson.

— Ah bon ?

En rejoignant la piste de danse, Suzanne croisa quelques jeunes hommes séduisants. Si ses amies célibataires new-yorkaises les voyaient, elles plaqueraient tout pour venir vivre dans le Montana ! s'amusa-t-elle en son for intérieur.

— Vous savez qui est Willie Nelson, au moins ? s'enquit Owen en attirant Suzanne dans ses bras.

Elle résista à la tentation de poser sa tête sur l'épaule de son cavalier. La situation la déroutait. Pour la première fois de sa vie, elle dansait avec un vrai cow-boy ! Un rancher vêtu d'un jean et de boots. Un homme qui se trouvait en contact quotidien avec le bétail et la terre. Quelqu'un qui dansait dans les bars le samedi soir. Un homme aux antipodes de sa propre existence.

— Pas la moindre idée, reconnut-elle.

— Sérieusement ? murmura-t-il à son oreille.

Suzanne leva la tête vers lui.

— Désolée… Je suis citadine, ne l'oubliez pas.

Il se pencha vers elle.

— Je ne l'oublie pas…

Suzanne eut la certitude qu'il s'apprêtait à l'embrasser. Son bon sens en refusait la perspective. Mais elle sentait sa volonté fondre comme neige au soleil. Impossible de résister à ce diable d'homme ! Comment cela s'expliquait-il ? Existait-il vraiment un sortilège amoureux, dans cette ville du Montana ? Avait-on versé un filtre dans son café ? C'était à n'y rien comprendre !

— Vous ne pouvez pas…, commença-t-elle.

— Je ne peux pas quoi ?

— M'embrasser de nouveau.

Le regard de Owen se posa sur les lèvres de Suzanne. Caressant. Amoureux.

— Pourtant… j'aime vous embrasser, dit-il.

— Vous êtes censé trouver une épouse. Pas une… comment dire… Je ne dois pas vous détourner de votre but.

Sans se laisser démonter, Owen étreignit Suzanne. La serra de si près, qu'elle eut une envie folle de se blottir contre ce grand corps d'homme. De lui passer les bras autour du cou. Forte de ses décisions, elle parvint à ne pas céder à la tentation.

Malheureusement pour elle, Owen ne l'entendait pas de cette oreille. Abandonnant la façon traditionnelle de danser, il plaça ses deux mains sur les hanches de Suzanne. Comme il est d'usage en pareil cas, elle noua les bras derrière la nuque de son cavalier. Mais sans serrer, bien entendu ! Pas question de lui fournir le moindre encouragement à continuer dans cette voie !

La piste était tellement encombrée qu'ils pouvaient à peine se mouvoir. La masse des danseurs leur imposait un corps à corps très sensuel. Une évidence dérangeante s'imposa à Suzanne : leurs corps semblaient faits l'un pour l'autre. Une fois de plus, elle lutta contre elle-même. Au diable ces impressions de midinette ! Elle avait bu trop de rhum, voilà tout !

Quand le slow s'acheva, Owen relâcha son étreinte. Mais l'orchestre en attaqua aussitôt un autre. Suzanne se replaça tout naturellement entre les bras de son cavalier. Comme si elle faisait cela tous les samedis soir ! songea-t-elle, ébahie.

— L'endroit vous plaît-il ? demanda Owen.

Suzanne avait conscience de jouer avec le feu. Certes, Owen Chase se présentait au premier abord comme un être inoffensif : un oncle attentif, uniquement dédié au bonheur de ses nièces. Un travailleur de force, attaché à sa terre. Un être doux, doué d'une patience extraordinaire envers les vieilles dames. Mais attention ! Il n'en était pas moins homme. Un homme viril. Qui la désirait, de toute évidence. A cela, un seul remède : la prudence !

— Pas mal du tout, répliqua-t-elle fermement.

— Si vous désirez faire des interviews, c'est le moment. Ensuite, les gens seront trop ivres pour répondre de façon sensée !

— Excellente idée !

Converser avec quelques couples du Montana lui éviterait la torture de ces slows dans les bras de Owen ! décida-t-elle. L'attirance sexuelle est une chose. Mais il faut savoir y résister ! Elle n'avait aucune intention de se retrouver au lit avec un cow-boy du Montana. Les aventures d'un soir n'étaient pas sa tasse de thé.

L'étreinte de Owen se resserra. Et cette fois-ci, contre toute logique, Suzanne abandonna sa tête sur son épaule. Les mains de son cavalier sur ses hanches embrasaient sa peau à travers l'étoffe de son pantalon. Elle s'alarma : qu'il s'avise seulement de s'aventurer un peu plus bas, et elle perdrait la tête.

Le slow s'acheva juste au moment où ses genoux flageolants la lâchaient.

— Etes-vous *certaine* de ne pas vouloir vous marier ? murmura Owen à brûle-pourpoint.

— Pardon ?

Abasourdie, Suzanne n'en croyait pas ses oreilles. Cet homme allait-il gâcher la soirée avec une ridicule demande en mariage ?

Une lueur malicieuse dans le regard, Owen poursuivit :

— Vous attirez beaucoup l'attention, vous savez. Si je vous laissais seule quelques minutes, les célibataires s'agglutineraient autour de vous ! Et vous obtiendriez bien davantage qu'un cheval et un pick-up en échange du mariage…

— Je subviens très bien à mes propres besoins, rétorqua Suzanne.

Mais elle laissa sa main dans celle de Owen. Ils quittèrent ensemble la piste de danse.

— Et vous ? poursuivit-elle. Ne voulez-vous pas rendre les sœurs Bliss heureuses ?

Pour être sûr d'être entendu, Owen abaissa la tête vers Suzanne, et répondit :

— Je ne cherche pas une épouse. C'est *vous* que je veux.

— Mais… vous ne pouvez…

Un rock endiablé et bruyant évita à Suzanne d'achever sa phrase. D'ailleurs, que dire ? songea-t-elle, en pleine déroute. Son corps exigeait une chose. Sa raison lui en dictait une autre. Cornélien, vraiment !

Pris d'une soudaine détermination, Owen dépassa leurs sièges sans s'y arrêter. Traînant Suzanne derrière lui, il se dirigea vers une porte et la poussa. Ils se trouvèrent dans le hall qui menait aux toilettes et aux cabines téléphoniques.

Owen se courba légèrement vers Suzanne.

— Bien… nous sommes au calme, maintenant. Je ne peux pas quoi ?

— Vous… vous ne pouvez pas m'avoir.

— Pourquoi pas ?

Comment s'y prendre ? songea-t-elle. Pour rien au monde elle n'aurait voulu blesser cet homme.

— Moi non plus, je ne peux pas vous avoir…, expliqua-t-elle. Vos amies devraient vous trouver quelqu'un d'autre que moi.

— Pourtant… nous nous sommes embrassés ?

— Je n'aurais pas dû. Je suis désolée.

— Vous êtes désolée ? répéta-t-il d'un air peu convaincu.

Suzanne eut le sentiment bizarre qu'il réprimait une envie de sourire.

— Oui. Vraiment, insista-t-elle.

En prononçant ces mots, elle se plaqua contre le mur pour laisser passer deux jeunes femmes qui se dirigeaient vers les toilettes. Suivant le mouvement, Owen se rapprocha d'elle. Avec lenteur, il appuya les deux mains contre le mur, de chaque côté de la tête de Suzanne. Il se pencha vers elle et la contempla.

— Vous êtes très belle… Je ne dois pas être le premier à vous le dire.

— Merci.

Owen effleura de ses lèvres la tempe de Suzanne.

— Nous… ne devrions plus danser ensemble, bégaya-t-elle.

Pour dissimuler le tremblement de ses mains, elle les enfonça dans les poches de son pantalon.

Owen déposa des baisers légers comme des papillons sur le lobe de l'oreille de Suzanne. Le long de sa mâchoire. Au coin de sa bouche.

— Vous avez raison, dit-il à voix basse. Et nous ne devrions plus non plus nous trouver seul à seule dans mon pick-up.

— Absolument.

Comme Suzanne déplaçait la tête, leurs lèvres se rencontrèrent. Pendant quelques secondes, elle oublia tout ce qu'elle venait de dire. Profita du trouble de l'instant. Puis :

— Je vais rentrer à pied à la maison, murmura-t-elle.

Les lèvres de Owen s'étirèrent en un sourire énigmatique :

— Bonne idée. Nous ne devons pas rester seuls ensemble…

— Je suis d'accord avec vous, affirma-t-elle dans un souffle.

Elle ferma les yeux et remercia le ciel de se trouver dans un lieu public. Sans cela, la tentation de faire l'amour, plaquée contre le mur, aurait été trop forte.

— C'est bien que nous pensions la même chose, dit-il.

Et il l'embrassa. Cette fois-ci, Suzanne ôta ses mains de ses poches. Elle les fit glisser le long du torse puissant de Owen. Sous ses paumes, elle sentit les battements de son cœur. Eprouva la chaleur qui émanait de son corps. Elle l'attira contre lui, et se reput de ce corps dur contre le sien.

De retour des toilettes, les deux jeunes femmes passèrent près d'eux en riant.

— Hé ! Vous deux ! Il faut vous trouver une chambre !

Owen releva la tête. Il se redressa, fit un pas en arrière et prit la main de Suzanne.

— L'idée n'est pas mauvaise, répliqua-t-il.

Suzanne se raidit et protesta :

— Pas de chambre. Pas de baisers. Pas de pick-up. Pas de lit.

A qui s'adressait ce refus buté ? se demanda-t-elle en son for intérieur. A lui ? A elle-même ? Elle nageait en pleine confusion.

— Vous avez vraiment l'art de gâcher un samedi soir ! lui reprocha Owen sans amertume.

La tenant toujours par la main, il se dirigea vers la porte qui menait au bar. A l'intérieur, la foule dansait sur un air joyeux du Texas. L'orchestre semblait devenu encore plus bruyant, la cohue plus compacte. La plupart des gens paraissaient heureux de vivre. Heureux de se trouver en cet endroit précis à ce moment précis.

Sauf Suzanne. *Elle* aurait voulu se trouver à des lieues de cette ville. A des années-lumière du Montana. Sur-le-champ. Car, à son grand désarroi, elle était en train de tomber amoureuse de ce maudit Owen Chase. Et ne le voulait pour rien au monde. Hors de question !

Qu'est-ce que Louisa trouvait à ce vieux garçon ? Ella n'en avait pas la moindre idée. A ses yeux, Peterson était un homme qui buvait trop, riait trop fort, courait après tout ce qui portait jupon. Et voilà que cette écervelée de Louisa tourbillonnait avec lui sur la piste de danse ! Comme si elle était de nouveau dans les années quarante. Ridicule !

Quand la musique s'arrêta, sa jumelle revint à leur table et s'écroula sur sa chaise.

— Tu vas avoir une crise cardiaque, si tu continues ! siffla Ella.

Louisa s'éventa avec sa serviette en papier.

— Je m'amuse drôlement bien ! Tu devrais essayer.

— Moi aussi, je m'amuse bien, figure-toi ! Mais notre rôle est de trouver des hommes pour les femmes seules, et non de les monopoliser !

— Il n'y a pas beaucoup de célibataires, ici, déclara Louisa avec calme. Regarde autour de toi. La soirée s'achèvera dans une vingtaine de minutes. Tous les gens en dessous de soixante-cinq ans ont disparu de la circulation. Ils sont dans d'autres lieux plus propices aux rencontres. Alors, laisse les vieux de la vieille s'amuser entre eux, avant de rentrer se coucher !

Ella soupira.

— Suzanne et Owen sont partis ensemble, ce soir. Tu dois être contente.

— Ça démarre assez bien, entre eux, concéda Louisa. Je suppose qu'ils sont partis vers un des bars à l'extérieur de la ville.

— Ou alors ils sont rentrés à la maison.

Le visage de Louisa s'illumina.

— A la maison ? répéta-t-elle d'un air ravi.

— Je voulais dire que Owen l'a reconduite chez Grace. Il ne peut ramener une femme chez lui, à cause des filles.

Et c'était là que le bât blessait ! songea Ella. Quelle que soit la femme qu'il courtiserait, ce pauvre Owen ne jouissait d'aucune possibilité d'intimité avec elle. A cause de la présence de Darcy et Mélanie.

— Darcy passe la nuit chez une amie, annonça Louisa. Grace a offert à Owen de passer la nuit chez elle, mais il a refusé.

— Donc, pour le moment, le ranch est vide, insinua Ella.

Elle médita un instant. Elle n'était pas sûre d'approuver les relations sexuelles prénuptiales…

— Quand Suzanne Greenway quitte-t-elle Bliss ? demanda-t-elle.

— Pas la moindre idée. Je pensais qu'elle resterait les deux semaines du festival. Mais je n'en suis pas certaine.

— Nous demanderons à Grace, demain. Soit Suzanne est la femme qui convient à Owen, et il faut les pousser dans les bras l'un de l'autre. Soit elle le distrait inutilement de notre but, et il faut trouver quelqu'un d'autre. Darcy et Mel ont besoin d'une mère.

— Tu es la seule à douter qu'ils soient faits l'un pour l'autre, commenta Louisa. Si seulement le processus se déclenchait vite entre eux, ça m'arrangerait. Je pourrais me consacrer à la recherche de quelqu'un pour moi.

Ella grinça des dents :

— Mon Dieu ! Tu ne vas pas recommencer avec cette histoire ridicule ?

Louisa s'éventa.

— Je suis peut-être vieille, mais je suis bien vivante. Et je veux en profiter.

Détournant le regard de sa sœur, Ella vit s'approcher leur vieux voisin.

— Tu vas encore faire semblant de t'intéresser à la collection de timbres du vieux Cameron ? ironisa-t-elle.

— Ça prouve au moins qu'il se passionne pour quelque chose, répliqua Louisa d'un ton piqué.

Ella salua Cameron d'un signe de tête, et persifla :

— Bonjour, Cam. Alors, encore heurté un pylône, ces jours-ci ?

Le vieux monsieur la regarda, porta sa main à l'oreille et fit :

— Comment ?

— Belle musique, non ? cria Ella.

— Excellente. Comment vas-tu, Ella ?

— Très bien, Cam.

Elle prit son verre et se leva.

— Où vas-tu ? demanda Louisa.

— Demander à Peterson s'il reste du rhum. J'ai besoin d'un remontant.

— S'il t'invite à danser, accepte. Tu verras, ça donne de l'énergie.

— De l'énergie, j'en ai à revendre, rétorqua Ella. Rendez-vous à 10 heures devant la porte. Ne sois pas en retard.

Cameron parut un peu déçu du départ d'Ella. Il s'en remettrait ! songea-t-elle. Après tout, il avait eu sa chance, il y a soixante ans. Tant pis pour lui s'il n'avait pas su la saisir !

Au Blues, Owen broyait du noir. Il venait de commettre une grave erreur. Pour empêcher Suzanne de partir trop tôt, il avait demandé au barman s'il se passait quelque chose de spécial en fin de soirée. La réponse ne s'était pas fait attendre :

— Bien sûr ! Il y a un mariage ! C'est fréquent, à l'époque du festival.

— Un mariage ! Ici ? s'était exclamée Suzanne.

Comme si elle venait de gagner le gros lot ! persifla Owen avec dépit. Et maintenant, il se retrouvait coincé. Plus question de rêver à un peu de solitude à deux… Le sacro-saint reportage de Suzanne Greenway reprenait le devant de la scène !

— Parfaitement ! dit le barman. C'est la saison. A 23 heures, nous avons un couple de Grand Forks. Ils se sont connus à Bliss l'an dernier. Et ils ont décidé de se marier au même endroit. Un an après, jour pour jour. C'est chouette, non ?

— Très ! Croyez-vous qu'ils m'accorderaient une interview ?

102

Le barman montra du doigt un petit groupe de gens à l'autre bout de la pièce.

— Demandez-leur, répliqua-t-il. Ils sont en train de se préparer, là-bas.

Suzanne se tourna vers Owen :

— Mon bloc-notes est resté dans votre voiture. Pouvez-vous me prêter vos clés pour…

— Attendez-moi ici, l'interrompit Owen. J'y vais.

— Prenez aussi mon appareil photo, s'il vous plaît. Par contre, laissez mon sac dans la voiture, acheva-t-elle en souriant.

— Evidemment !

Que croyait-elle ? Qu'il était du genre à se pavaner dans un bar avec un sac de femme ? Lui qui mettait déjà un mouchoir sur sa fierté, lorsqu'il se déplaçait avec les couches de Mélanie sous le bras !

Avant de quitter le bar, il renouvela sa requête.

— Ne bougez pas d'ici, d'accord ?

— Si je ne suis plus là, cherchez-moi au mariage. Je ne veux rien en rater.

Dix minutes plus tard, Owen retrouva Suzanne. Entourée de cow-boys. De différentes tailles, de tous les âges. Quand elle l'aperçut, elle lui décocha un sourire qui lui donna envie de la posséder tout entière. Pour lui tout seul.

— En général, je déteste les mariages, dit-elle. Mais celui-ci est amusant.

— Le rhum y est pour quelque chose ! Voici vos affaires.

Suzanne prit l'appareil photo et le passa en bandoulière autour de son cou. Comme Owen lui tendait son bloc-notes et un stylo, elle déclara :

— Vous êtes une perle !

Dans ce cas, gardez-moi près de vous ! eut-il envie de répliquer. Mais il n'en eut pas l'occasion. La musique du mariage débuta, et Suzanne reporta son attention sur la mariée. Une charmante brune, qui paraissait aux nues. Le marié souriait aux anges sous son Stetson flambant neuf. Il embrassa son épousée lorsqu'il la rejoignit devant le ministre du culte.

Dans cette petite assemblée, Owen ne connaissait personne. Gabe n'était pas dans les parages. Pas étonnant, puisqu'il ne mettait jamais les pieds au Blues ! Quant à Calder, que rien n'effrayait davantage que les manipulations des sœurs Bliss, il avait pris la tangente pour deux semaines. Le temps du festival.

Il jeta sur lui-même un regard plein de dérision. Lui, le premier inscrit par les vieilles sorcières sur la liste des hommes, en train de jouer les chaperons pour une journaliste ! Une femme qui embrassait comme un ange, mais haïssait le mariage. Mis à part celui qu'elle était en train de photographier, bien entendu ! Et pendant ce temps-là, il se rongeait de frustration à son côté. Ah ! Il avait l'air malin !

Les idées sombres roulaient dans la tête de Owen. Il voulait mettre Suzanne dans son lit. Mais, à voir les regards que lui lançaient les autres hommes, il n'était pas le seul à la convoiter ! Très bientôt, l'un d'eux se proposerait pour l'aider dans son reportage. Et cela sonnerait le glas de ses propres espoirs. Suzanne Greenway, la belle journaliste new-yorkaise, ne lui prêterait plus la moindre attention.

A l'issue de la courte cérémonie, les participants applaudirent. Owen en profita pour venir se placer près de Suzanne. Une idée lui germait dans la tête : puisqu'elle voulait suivre un homme en quête d'une épouse, pourquoi ne pas faire semblant d'en chercher une lui-même ? De la sorte, elle resterait accrochée à ses basques au moins quelques jours !

— Joli mariage, commenta-t-il à l'adresse de Suzanne.

— J'essayerai d'interviewer la mariée tout à l'heure. Le marié était trop nerveux pour parler, quand je l'ai approché. Mais au moins a-t-il eu le courage de se présenter à la cérémonie, acheva-t-elle d'un ton amer.

— Pourquoi ne l'aurait-il pas fait ? demanda Owen.

Soudain, une réalité le frappait : il ignorait tout de cette femme. Quel était son passé ? Quelles aspirations caressait-elle dans l'existence ?

Suzanne haussa les épaules.

— Il y a six mois de ça, mon fiancé ne s'est pas présenté à l'église, lâcha-t-elle.

Quoi ? Owen était médusé. Abandonne-t-on au pied de l'autel une femme pareille ? Cela dépassait son entendement.

— Heureusement, poursuivit-elle sur le même ton, je n'avais pas encore enfilé ma robe de mariée.

— Comment avez-vous réagi ?

De nouveau, Suzanne haussa les épaules.

— J'ai vomi sur la robe de mon témoin.

Owen ne savait que dire. Pourquoi cet homme n'avait-il pas voulu épouser Suzanne ? Quel goujat ! Quel malappris ! Mais en même temps, il éprouvait envers lui une sourde reconnaissance. Grâce à son attitude impardonnable, Suzanne était encore libre. A sa portée.

Il s'abstint de tout commentaire et prit la main de la jeune femme.

— Dansons, dit-il. C'est une valse.

— Comme c'est romantique, murmura Suzanne.

Owen perçut dans sa voix un accent de sincérité qui le toucha. Dès qu'ils furent sur la piste, il la serra contre lui.

— Bliss et le romantisme ne font qu'un, chuchota-t-il à l'oreille de Suzanne.

Elle se mit à rire.

— C'est la chose la plus insensée que je vous aie entendu prononcer ! dit-elle.

— J'essaie de pondre des phrases bien senties, à reproduire dans votre article, plaisanta-t-il.

Sentir le corps de Suzanne contre le sien électrisait Owen. Garder la tête froide ! s'ordonna-t-il aussitôt. Dans une heure, il devait reprendre Mélanie chez Grace. Cela lui ôtait tout espoir de vivre une nuit d'amour avec Suzanne au ranch.

8.

A l'issue de la cérémonie, la mariée jeta son bouquet à l'assemblée. Par inadvertance, Suzanne le reçut entre les mains.

Comme pour se défendre d'un sortilège, elle s'écria :

— Je ne l'ai pas fait exprès !

Elle tenait le joli bouquet du bout des doigts. Comme s'il était contagieux.

— Prise prémonitoire ! commenta Owen. Peut-être trouverez-vous un mari à Bliss, après tout ?

— Merci bien ! rétorqua-t-elle en s'accoudant au bar. Débarrassez-moi de ces fleurs. Elles vont me porter malheur !

— Vous l'aimez encore ?

— Qui ?

— Le type que vous alliez épouser.

— Non.

Elle disait vrai. Le premier choc passé, après une courte période de colère et de larmes, elle avait reconnu la vérité crue : bien sûr, sa fierté était en berne, son ego en avait pris un coup. Mais tout compte fait, elle se portait mieux sans le triste sire qu'elle s'était choisi comme époux. Oh, bien entendu, au début de leur relation, elle trouvait Greg en tout point parfait. Mais lorsque l'aura romantique dont elle l'entourait s'était dissipée avec sa trahison, elle avait vu les choses sous un jour différent.

— En fait, j'ai découvert assez vite qu'il ne me manquait pas, déclara-t-elle.

En revanche, lorsqu'elle quitterait Bliss, Owen lui manquerait bien davantage, songea Suzanne avec une pointe de nostalgie.

— Si nous changions de sujet ? proposa-t-elle.

— De toute façon, il faut que nous partions. Il est presque minuit. Je dois récupérer Mélanie chez Grace.

Suzanne sauta de son tabouret de bar, rassembla ses affaires et prit le bouquet de la mariée.

— Je croyais que vous ne le vouliez pas ? s'étonna Owen.

— Vous le donnerez à Darcy. Ça lui plaira peut-être.

— Sait-on jamais… Rares sont les choses qui la rendent heureuse, par les temps qui courent.

Ils enfilèrent leurs manteaux et sortirent. Dehors, la neige les attendait. Une neige qui tombait à gros flocons et tapissait déjà le sol.

— Sa mère doit avoir laissé un grand vide dans son cœur, remarqua Suzanne. C'est une perte irréparable. On s'en remet difficilement. Et son père ?

Owen ouvrit la portière de son pick-up, et la tint ouverte pour Suzanne.

— Je ne sais pas qui il était. Ma sœur ne me l'a jamais dit. Et je n'ai jamais demandé. Quelques années après, elle a épousé un type très bien. Hélas, il est mort dans un accident de voiture. Quelques mois avant la naissance de Mélanie.

« Quelle horrible tragédie ! » songea Suzanne avec effroi. Par quelle faiblesse se permettait-elle d'être si amère à cause d'un simple mariage annulé ? Alors que d'autres vivaient de terribles épreuves. Sans se plaindre.

— Je suis désolée, dit-elle. Pour vous tous.

Owen lui releva le menton et lui sourit.

— Ne prenez pas cet air triste. Nous nous débrouillons très bien.

Suzanne eut une très forte envie de l'embrasser. Mais elle s'en abstint. Pourquoi se jeter dans la gueule du loup ? songea-t-elle. Ensuite, elle s'en mordrait les doigts. Elle détourna donc la tête. Brisa le contact entre eux.

— Il fait un froid de canard, déclara-t-elle en s'engouffrant dans le pick-up.

L'intérieur du véhicule était glacé. Un vrai réfrigérateur. Si elle vivait ici, décida-t-elle, elle s'achèterait une paire de bottes fourrées et un anorak matelassé. *Si elle vivait ici !* L'incongruité de cette pensée la fit frémir. Que lui prenait-il ? Décidément, elle perdait la tête pour de bon !

Sur le chemin du retour, ils ne parlèrent pas. Suzanne ruminait ses pensées. Elle était allée trop loin. Avait tout faux, dans les moindres détails. Pourquoi avoir embrassé cet homme dans une voiture ? Pourquoi avoir dansé langoureusement avec lui ? Pourquoi avoir parlé, ri tout au long de cette soirée et enfin, attrapé le bouquet de la mariée ? Après être tombée de sottise en ineptie, il lui fallait à présent un plan strict : retrouver sa chambre. Sa solitude. Vérifier son courrier électronique. Mettre au point la suite du déroulement de son reportage. Ensuite, quitter le Montana. A bride abattue. Pour ne jamais y revenir.

Comment aurait-elle pu deviner que Mélanie changerait bientôt sans ménagement ce plan raisonnable ?

Un doigt sur la bouche, Grace Whitlow leur ouvrit la porte.

— Chut ! chuchota-t-elle. La petite s'est enfin endormie.

— Elle vous a donné du mal ? demanda Owen d'un air confus.

— Elle a été un peu grognon. Une dent qui pousse, sans doute. Je l'ai bercée, lui ai chanté des comptines. Et notre petit bout s'est endormie.

Apercevant les flocons dans les cheveux de Suzanne, Grace demanda :

— Il neige ?

— Ça commence à tomber dru, répliqua Owen. Je ferais bien de rentrer tout de suite.

Grace secoua la tête.

— Sois raisonnable ! Ne sors pas la petite de son lit à cette heure-ci. Pourquoi ne passes-tu pas la nuit ici ?

Owen sourit.

— Je ne peux pas. Je dois m'occuper du bétail. Mel s'accommode très bien des trajets en voiture.

— Mais avec cette neige ! plaida Grace.

Sans réfléchir aux implications de ses paroles, Suzanne intervint :

— Et sa dent, surtout… Laissez-la ici pour la nuit, s'entendit-elle dire.

— Venez vérifier par vous-mêmes à quel point elle est bien installée, proposa Grace.

Au premier étage, au fond d'un long corridor, s'ouvrait une vaste chambre, meublée d'un grand lit, d'un petit lit d'appoint pour enfant et d'une belle armoire en chêne. On apercevait une salle de bains attenante. Grace Whitlow pénétra dans la pièce sur la pointe des pieds, suivie de Owen et Suzanne.

L'enfant était vautrée sur le ventre. Profondément endormie. Sa petite respiration régulière donnait l'image du bien-être innocent.

Owen se pencha vers elle. Avec des gestes délicats et tendres, il remonta la couverture sur les épaules de Mélanie. Lui caressa le dos. L'observa un moment. Puis il se redressa et haussa les épaules. Indécis.

Poussant Suzanne et Owen hors de la chambre, Grace murmura :

— Tu vois ? Tu ne vas pas obliger ce petit bout à affronter le blizzard ?

Owen soupira.

— Et si elle se réveille en pleine nuit ? Personne ne l'entendra.

Une nouvelle fois, une force inconnue poussa Suzanne à parler.

— Je passerai la nuit auprès d'elle.

Sur-le-champ, elle se mordit la lèvre inférieure. Que lui prenait-il ? songea-t-elle, éberluée. Elle dont la règle d'or était de ne jamais se mêler des affaires d'autrui !

— Je vais changer mes affaires de chambre. Comme ça, si elle se réveille, je l'entendrai, poursuivit-elle.

Owen et Grace posaient sur elle des yeux ronds.

— J'ai des nièces et un neveu, leur rappela Suzanne. Tous les trois ont moins de six ans.

L'air soudain très las, Owen tenta de protester :

— Je ne peux vous laisser faire ça…

— Rentrez chez vous, chuchota Suzanne. Vous reviendrez demain, après avoir nourri vos vaches. Dans l'intervalle, ne vous inquiétez de rien. Avons-nous assez de couches ?

— Oui, répliqua Owen. Le lait et la farine sont avec les biberons, dans le sac de Mel.

— C'est parfait !

Parvenu dans le hall d'entrée, Owen enfila ses gants et se tourna vers Grace.

— Vous avez mon numéro de téléphone, n'est-ce pas ?

Grace Whitlow tapota le dos de Owen.

— Bien sûr, mon petit, dit-elle. Rentre chez toi, et repose-toi. Tu en as bien besoin.

Pour toute réponse, Owen lui sourit. En cet instant, la beauté de son visage frappa Suzanne. Non pas une beauté parfaite. Rien à voir avec les traits réguliers d'un play-boy de magazine. Mais une beauté virile. Des traits taillés à la serpe. Un teint buriné par les intempéries. Un homme solide, bien réel. Quelqu'un dans les bras duquel on a envie de se réfugier.

Suzanne ferma les yeux une seconde. Puis :

— Rentrez chez vous ! dit-elle. Ne vous inquiétez de rien.

— Merci, répliqua-t-il.

Sans crier gare, Owen se rapprocha d'elle. Il se pencha et l'embrassa. Un baiser léger comme un papillon. Un simple effleurement des lèvres. A ce contact, une décharge électrique parcourut l'échine de Suzanne.

L'instant d'après, il quittait la pièce. Laissant Grace Whitlow rayonnante de satisfaction.

— J'ai hâte d'en parler à Louisa, murmura-t-elle en jetant un regard à sa montre. Ce soir, il est trop tard, mais...

— Arrêtez de jouer les marieuses, avertit Suzanne. Je rends service à cet homme. Ça ne veut pas dire que je veuille l'épouser.

— Pourtant... il vous a embrassée...

— Un petit baiser de rien du tout, pour remercier une baby-sitter qui tombe à pic.

Grace sourit d'un air entendu :

— Owen Chase n'est pas du genre à embrasser les baby-sitters ! Je crois que nous progressons dans la bonne voie.

En pénétrant dans sa maison vide, Owen éprouva un étrange malaise à se retrouver seul chez lui. Sans ses nièces. Sans sa sœur. Sans son beau-frère. Dans ces conditions, la maison respirait la solitude. Et lui aussi.

D'un geste absent, il arrangea le bouquet de la mariée dans un vase. Puis il se servit un whisky et s'installa dans son fauteuil favori. Un fauteuil un peu défraîchi. Comme le reste de la maison. A une époque, songea-t-il, il avait eu l'intention de la céder à sa sœur et son beau-frère. Pour en construire une nouvelle pour lui.

Mais la vie ne lui en avait pas laissé le temps. En quelques mois, tout avait changé. De toute façon, raisonna-t-il, le ranch était solide, bien planté dans la terre, assez vaste pour abriter une nombreuse famille.

De nouveau, ces jours-ci, le destin frappait à la porte. Un destin qui pour une fois n'avait pas un goût amer. La vie prenait pour lui un tour nouveau. Inattendu. Déroutant. Il venait de rencontrer une femme. La femme de sa vie. Il la voulait de toutes ses forces. Elle seule, entre toutes.

En ce moment, cette femme s'occupait de Mélanie. Aucun doute ne torturait Owen à ce sujet : elle s'acquitterait à merveille de sa tâche. Il ne s'en accablait pas moins de reproches. Il aurait dû embarquer Suzanne et Mélanie dans son pick-up. Les ramener à la maison. Mettre Mel dans son berceau. Et Suzanne dans son lit. Car telle était leur place naturelle, à l'une et à l'autre.

Suzanne berçait doucement Mélanie entre ses bras.

— Là, là, mon petit chou, murmura-t-elle.

Aux premiers pleurs du bébé, vers 4 heures du matin, Suzanne s'était installée dans le rocking-chair. Elle avait calmé l'enfant en lui chuchotant des mots tendres à l'oreille. Puis elle l'avait changée, l'avait nourrie, et bercée jusqu'à ce qu'elle se rendorme.

A présent que le calme était revenu, Suzanne entendait dans l'obscurité la petite respiration régulière du bébé. Par la fenêtre, elle apercevait les toits des maisons de Bliss. Les rues étaient désertes. Tout le monde dormait. Cependant, elle remarqua une lumière allumée de l'autre côté de la rue. Une autre femme en train de calmer un enfant ?

Pour rien au monde Suzanne n'aurait reposé le bébé dans son berceau. Demain, elle paierait sans doute cette nuit sans sommeil. Mais pour le moment, elle jouissait de l'instant. De la paix incomparable que procurent les soins donnés à un enfant. Sa pensée dériva. Si elle s'était mariée, six mois plus tôt, peut-être serait-elle enceinte, en ce moment ?

Bien sûr que non ! se souvint-elle aussitôt. En fait, Greg et elle avaient décidé d'un commun accord d'attendre cinq ans avant de faire un enfant. Pour quelle raison ? Elle ne s'en souvenait plus avec précision. Sans doute parce que, pour Greg, l'idée du mariage était déjà assez stressante, sans y ajouter la perspective d'un enfant…

Qu'aurait fait Greg, s'il avait hérité de la responsabilité de deux nièces ? se demanda-t-elle. Il aurait pris la tangente, conclut-elle après un instant de réflexion. Sans demander son reste. Cette conclusion plongea une nouvelle fois Suzanne dans une perplexité sans bornes. Pour quelles raisons cet homme lui avait-il plu, au juste ? Pour son charme physique, évidemment. Son sourire sensuel l'avait aveuglée pendant quelque temps. Bien trop longtemps.

Et maintenant, changement de décor total dans sa vie ! Elle se retrouvait dans une ville inconnue. En train de bercer un petit bébé. Tout en rêvassant au mariage. Aux enfants. A un rancher aux beaux yeux sombres et au grand cœur.

A cette pensée, une frayeur mortelle s'empara de Suzanne : et si elle subissait à son tour le mystérieux sortilège de la ville de Bliss ? Si elle tombait amoureuse de Owen Chase ? Inacceptable ! s'insurgea-t-elle aussitôt. Pas question de finir pieds nus dans le crottin, enceinte jusqu'au cou, à s'éreinter aux tâches d'un ranch situé au milieu de nulle part !

D'accord, mais c'était plus facile à dire qu'à faire, insinua une petite voix dans sa tête. D'abord, elle adorait marcher pieds nus. Ensuite, au plus secret de son cœur, elle mourait d'envie de devenir mère. Enfin, pendant toute son adolescence, elle avait passé ses vacances dans un camp équestre. Et avait adoré ça.

Dans un éclair de lucidité, Suzanne regarda les choses en face : elle était mal partie ! A cela, un seul remède : quitter Bliss au plus tôt. Avant de tomber pour de bon amoureuse d'un cow-boy.

Louisa gara la voiture en face de chez Grace Whitlow, et se tourna vers sa sœur.

— Juge par toi-même, c'est tout ce que je te demande, dit-elle.

Ella soupira. Depuis peu, elle se sentait un peu tenue à l'écart de ce qui se tramait, et en éprouvait un certain ressentiment.

— Grace trouve Suzanne très maternelle, reprit Louisa. Elle a gardé le bébé de Owen toute la nuit. Et semble y avoir pris plaisir. Quant à Owen, il vient reprendre Mélanie ce matin. Donc, nous les verrons ensemble… nous jugerons sur pièces.

— Je croyais que tu étais lassée d'organiser des mariages ? grommela Ella.

Toute sa vie, elle avait aimé être l'aînée. Etre celle qui prend le cours des événements en main. Et voilà que, tout à coup, Louisa renversait l'ordre naturel des choses. Cela l'irritait profondément.

— Il me semblait que tu voulais te consacrer à te trouver un homme, renchérit-elle. Ce que je persiste à juger ridicule, d'ailleurs.

— A ce sujet… plusieurs possibilités me sont apparues hier soir, répliqua Louisa en arrêtant le moteur.

Sa sœur avait toujours adoré conduire, songea Ella. Alors qu'elle préférait prendre le siège du passager, et donner les instructions. Jusqu'à maintenant, Louisa avait toujours suivi les directives de son aînée. Alors, pourquoi ce changement soudain ?

— Quel âge ont ces « possibilités » ? demanda-t-elle d'un ton aigre. Dans les quatre-vingt-dix ans ?

— Je ne te le dirai pas ! répliqua Louisa en ouvrant sa portière. Tu viens ou pas ?

— Je viens, je viens, grommela Ella.

En fait, elle mourait d'envie de rencontrer Grace, pour discuter du bal de la veille.

— J'ai observé quelques femmes qui pourraient convenir à Calder Brown, s'il revient à Bliss avant la fin du festival, déclara-t-elle. En revanche, en ce qui concerne Gabe, ça me paraît perdu pour cette année.

— Occupons-nous de Owen d'abord. Pour les autres, on verra après.

Bras dessus bras dessous, les deux jumelles s'avancèrent à petits pas sur le trottoir enneigé.

— Ensuite, ce sera mon tour. Dis-moi franchement : tu trouves Pete Peterson trop jeune pour moi ?

— Sans aucun doute ! Louisa, il n'y a pas beaucoup d'hommes en ville qui ne soient pas trop jeunes pour toi. La pilule est amère, je te le concède. Mais c'est ainsi.

Louisa soupira d'un air mélancolique, et frappa à la porte de Grace. Leur hôtesse les fit entrer.

— Dépêchez-vous, chuchota-t-elle. Notre amie reporter est en train de faire ses valises. Elle retourne à New York.

— Le temps est venu pour moi de partir, expliqua Suzanne. J'ai réuni suffisamment de documents pour mon reportage.

L'idée de décevoir les vieilles dames lui déplaisait, mais l'heure était grave. Comment résister autrement que par la fuite aux charmes conjugués de Owen et de Mélanie ? Pour rien au monde elle n'admettrait avoir déjà succombé à l'attrait de l'un et de l'autre. Les marieuses s'en évanouiraient de plaisir !

— Hier soir, j'ai assisté à un mariage, poursuivit-elle vaillamment. J'ai pris des photos formidables.

Assises autour de la table de la salle à manger, les vieilles dames semblaient réunies pour un conseil de guerre. Mélanie trônait sur sa chaise haute, et donnait des coups de cuillère sur son assiette en plastique. Suzanne se tenait près de sa valise, attendant que Grace Whitlow établisse sa note.

— Vous ne pouvez pas partir maintenant, plaida Louisa.

— Et Owen Chase ? demanda Ella.

Suzanne feignit de mal comprendre l'allusion.

— Il ne souhaitait pas figurer dans mon reportage, de toute façon, répondit-elle. Mon départ le soulagera.

Grace leva les bras au ciel.

— Je suis trop contrariée pour faire une addition correctement. Fais-la à ma place, Ella.

— Tu te noies dans un verre d'eau, ma pauvre amie, grommela Ella en prenant les choses en main.

Au bord des larmes, Louisa demanda :

— Vous ne voulez pas lui dire au revoir ?

— Bien sûr que si, mentit Suzanne.

En réalité, elle avait prévu de partir de bonne heure. Mais Mélanie ne lui en avait pas laissé l'occasion. En effet, depuis le matin, chaque fois que Suzanne quittait la pièce, l'enfant se mettait à hurler. Et dès qu'elle revenait, Mel tendait les bras vers elle dans un geste désarmant. Même en cet instant précis, Suzanne restait près de la chaise haute. Toutes les deux minutes, Mélanie tournait la tête vers elle. Rassurée par sa présence, elle lui adressait un sourire de confiance aveugle.

— Quand doit-il venir ? demanda Suzanne.

— Après son travail du matin au ranch, répliqua Grace. Et Dieu sait qu'il y en a ! Heureusement, Owen est un travailleur hors pair.

— Oui, renchérit Louisa. Un homme de grande qualité, nanti d'une capacité de travail extraordinaire. On ne saurait trouver mieux.

— Cessez de jouer les marieuses, insista Suzanne en souriant. Je pars pour de bon.

— Mais pourquoi ? protesta Ella. Ne deviez-vous pas rester une autre semaine ? Vous aviez réservé votre chambre pour quinze jours !

— Et il va encore neiger, ajouta Louisa. En plus, la première tombola a lieu ce soir. Vous aviez acheté des billets…

— Je sais, mais…

— La chance vous sourira peut-être, insista Louisa. Il y a beaucoup de prix. Un dîner pour deux dans un très bon restaurant, par exemple. La nouvelle boulangère offre le gâteau de la mariée. Calder propose un quartier de bœuf. Quant à Owen…

Suzanne l'interrompit d'un geste de la main. Puis elle fouilla dans son sac, et en extirpa deux billets de tombola.

— Tenez, dit-elle. Donnez-les à qui bon vous semblera.

A cet instant précis, Mélanie se remit à geindre et à tendre les bras vers Suzanne. Celle-ci ne résista pas. Elle la souleva de sa chaise et la serra contre elle.

Quelques minutes plus tard, la sonnette de la porte d'entrée retentit. La voix profonde de Owen résonna dans le hall. Les épaules de Suzanne s'affaissèrent. Avec un peu de chance, songea-t-elle, elle aurait pu partir sans dire au revoir. Elle détestait les adieux. Surtout lorsqu'elle n'avait pas vraiment envie de partir.

Se sentant sur la mauvaise pente, elle se ressaisit aussitôt. Pas question de se laisser aller. De s'attendrir sur des pensées romanesques au sujet de l'amour. Défense de rêvasser à ce que serait l'amour physique avec un rancher aux yeux sombres. Elle partait. C'était décidé. Sûr et certain. Elle quittait cette ville avant que ses sortilèges ne fassent qu'une bouchée d'elle.

Quand Owen pénétra dans la salle de séjour, Suzanne tenait toujours Mélanie contre son cœur. Il parut charmé du tableau.

— Bonjour, mesdames, lança-t-il à la cantonade.

Puis, voyant l'air consterné des vieilles dames, il demanda :

— Quelque chose ne va pas ?

— Rien du tout ! répliqua Suzanne avec une feinte assurance. Mélanie est un peu grognon, ce matin, voilà tout. Elle veut être portée…

— Salut, mon petit bout, dit Owen en caressant la tête de Mélanie. Tu as l'air fatigué…

— Nous ne passons pas une bonne matinée, annonça Louisa.

Intrigué, Owen lança autour de lui un regard circulaire. Grace lui tendit une tasse de café, qu'il accepta.

— Suzanne part plus tôt que prévu, lui apprit-elle. A moins que tu ne nous aides à la convaincre de rester.

Owen se tourna vers Suzanne.

— Plus tôt que prévu ? De quoi parlez-vous ?

— Je… je pensais…, bredouilla Suzanne.

— Que se passe-t-il ? répéta Owen.

— Elle est décidée à partir, répliqua Ella. Bliss ne lui plaît pas, il faut croire.

— C'est une très jolie ville, protesta Suzanne.

L'air absent, elle caressait machinalement le dos de Mélanie.

— Si Suzanne doit partir, nous n'avons pas le droit de chercher à l'en empêcher, déclara Owen.

Sur ces mots, il reposa sa tasse sans avoir bu son café, et tendit les bras à sa nièce.

— Donnez-la-moi, ajouta-t-il. Nous devons retourner au ranch, de toute façon.

119

Mélanie se mit à gigoter et passa ses bras autour du cou de Suzanne.

— C'est ainsi depuis hier soir, expliqua Suzanne. Je l'ai bercée une partie de la nuit.

— Mel n'a pas laissé à Suzanne l'occasion de fermer l'œil, intervint Grace Whitlow.

Owen essaya de nouveau de prendre sa nièce dans ses bras. Elle se mit à hurler. Interloqué, il renonça.

— Je suis désolée, s'excusa Suzanne. Ça lui arrive souvent ?

— Pratiquement jamais…

— C'est un mouvement d'humeur passager, dit Grace. Les enfants sont ainsi. Ils tournent parfois le dos à des gens qu'ils adorent en temps ordinaire. Ça lui passera.

Un peu déboussolé, Owen demanda :

— Mais en attendant… que dois-je faire ?

— Emmène Suzanne chez toi, bien sûr ! déclara Ella.

Tout le monde la regarda avec des yeux ronds.

— Pardon ? grommela Open.

— C'est pourtant simple ! Suzanne rentre au ranch avec toi. Vous mettez Mel dans son berceau. Elle s'endort, et on n'en parle plus. Suzanne pourra alors partir.

Owen se tourna vers la jeune femme.

— C'est une solution… Si vous acceptez, je mettrai le siège de Mélanie dans votre voiture, pour qu'elle ne pleure pas. A quelle heure part votre avion ?

— Demain matin à 6 h 38.

— Ella, tu es brillante ! s'exclama Louisa.

— Une merveille d'organisation ! déclara Grace avec un large sourire.

Un peu étourdie, Suzanne tenta de protester d'une voix faible :

— Attendez…

120

Seul Owen l'entendit.

— La décision vous appartient, dit-il. Si je prends Mel tout seul, elle va pleurer un moment, mais ça passera. Il y a toutes les chances qu'elle s'endorme dans la voiture.

— Je sais… Elle n'est pas très heureuse, ce matin…

— Moi non plus, rétorqua Owen avec l'ombre d'un sourire. Je voulais vous montrer mon ranch. C'est le plus bel endroit du Montana.

— Je ne peux pas rester…

— Je sais. Mais venez quand même quelques heures…

Suzanne réfléchit une seconde. Puis elle acquiesça. Même si elle quittait Bliss à jamais, songea-t-elle, elle pouvait au moins contempler de visu ce qu'elle laissait derrière elle.

9.

Missy se hissa hors de sa voiture au moment où Suzanne s'éloignait au volant de la sienne. A la suite du pick-up de Owen ! Elle se hâta vers le perron de la grande maison de Grace, où se pressaient ses trois amies.

— Que se passe-t-il ? demanda-t-elle en haletant un peu. J'ai manqué quelque chose d'important ?

Ella serra son manteau autour d'elle. L'air glacé la saisissait.

— Notre rousse voulait partir, expliqua-t-elle. Mais nous nous sommes débrouillées pour différer son départ. Ça donne quelques heures à Owen…

— Ella a eu une idée de génie ! renchérit Grace. Rentrons ! Nous t'expliquerons tout à l'intérieur.

Elle referma la porte et conduisit ses amies dans le salon. Toutes les quatre s'installèrent dans la chaleur douillette de la pièce.

— Nous l'avons échappé belle ! s'exclama-t-elle à l'adresse de Missy. J'ai bien cru qu'elle partait d'une minute à l'autre.

Ella lança un coup d'œil au ciel de plomb. Il allait encore neiger, songea-t-elle. Et si son expérience ne lui faisait pas défaut, une sacrée tempête s'annonçait.

— Il se pourrait que notre Suzanne Greenway passe plus de temps chez Owen qu'elle ne le pense pour le moment. Quelqu'un a-t-il écouté la météo ?

— De la neige et encore de la neige, annonça Missy. La tempête se dirige vers nous.

— Excellent ! s'exclama Louisa en tapant dans ses mains. Je suis sûre que Mélanie y est pour quelque chose !

Ella la tança d'un regard dédaigneux.

— Je croyais que nos plans de marieuses ne t'intéressaient plus ?

— Ces jours-ci, la vie est redevenue plus excitante, convint Louisa.

Missy dressa l'oreille.

— Pourquoi donc ? Tu rêves toujours à… aux hommes ?

— Hé, hé ! En fait, ça ne marche pas mal du tout ! J'ai passé un moment merveilleux, au bal, hier soir.

— Oh ! Non, grinça Ella. Tu ne vas pas recommencer !

— Si nous jouions aux cartes, puisque nous sommes toutes réunies ? proposa Grace.

— Et les clients de ta pension ? demanda Ella. Tu n'as pas à t'en occuper ?

— Tout le monde est parti. A part les nouveaux mariés. Et ceux-là se lèvent tard, dit-elle avec un sourire entendu. L'amour est une chose merveilleuse. Vous ne trouvez pas ?

— Je n'y connais rien, répliqua Louisa d'un ton rêveur. Mais j'espère que ça va bientôt changer…

Owen regarda le ciel. Dès le matin, il avait consulté la météo : une tempête de neige descendait du nord canadien. Par conséquent, il avait téléphoné à Darcy, pour la prévenir qu'il passerait la prendre dans la matinée. Sa nièce n'avait pas été d'accord. Au contraire, elle l'avait supplié de lui accorder une permission supplémentaire. Après un entretien avec la mère de Jennifer, il avait donné son feu vert. Darcy passerait une autre nuit chez son amie, et irait à l'école directement le lendemain matin. Dans le fond, cela l'arrangeait, avait-il reconnu *in petto* tout en sautant dans son pick-up. Au fond de lui, il nourrissait depuis le début le secret espoir de montrer son ranch à Suzanne.

Elle aimerait l'endroit, avait-il songé. Ne serait-ce que pour photographier le lieu où vivait et travaillait le célibataire qui figurait en haut de la liste des sœurs Bliss !

Pour ce qui était de Mélanie, Owen n'avait pas la moindre inquiétude : il se sentait apte à venir tout seul à bout de ses larmes et de ses caprices. Quelques semaines auparavant, elle avait déjà fait une poussée de dent. Elle pleurnichait pour un rien, tendait les bras pour qu'on la prenne. Dès que la dent avait percé, elle était redevenue la petite fille adorable et facile de toujours. Owen pressentait qu'il en serait de même cette fois-ci.

Pourtant, raisonna-t-il avec un sourire en coin, informer Suzanne de cette conviction serait une maladresse. Une maladresse inopportune. Il lança un coup d'œil dans son rétroviseur. Voir la voiture de la jeune femme dans le sillage de la sienne lui réchauffa le cœur. Suzanne s'était sacrément bien débrouillée avec Mel ! songea-t-il avec une admiration attendrie.

Se pouvait-il que les sœurs Bliss aient raison, au bout du compte ? Que leurs manigances aboutissent à quelque chose de bon ? Si cela se concrétisait, il leur devrait une fière chandelle ! Et les en remercierait à la première occasion.

Une sorte de stratégie se mettait en place dans sa tête : d'abord, montrer son ranch à Suzanne. De toute façon, c'était tout ce qu'il avait à lui offrir. Ensuite, prétendre qu'elle lui était indispensable pour calmer Mélanie. Serait-ce d'ailleurs un mensonge ? Cette femme merveilleuse ne lui devenait-elle pas d'heure en heure plus indispensable ? Même si Mélanie n'avait pas grand-chose à voir dans le phénomène !

124

Pour finir, se garder de mentionner la tempête de neige qui s'annonçait. Silence total sur le sujet. Au moins dans un premier temps.

Comme Suzanne s'y attendait, le ranch était magnifique. Pittoresque à souhait. Idéal pour des photos à insérer dans son article. Elle en prendrait quelques-unes tout à l'heure. Avant de se diriger vers Great Falls, où elle louerait une chambre pour la nuit dans un motel près de l'aéroport.

Le Ranch Chase s'étendait sur des kilomètres, à perte de vue, dans toutes les directions. Au bout d'une longue allée s'élevait « la maison principale » comme l'appelait Owen. Un peu à l'écart, des granges et appentis de toutes sortes, de toutes tailles. Plusieurs chevaux caracolaient dans l'enclos couvert de neige. Comme Owen s'approchait de la clôture, ils s'immobilisèrent, tournés vers lui.

— Je monte à cheval, vous savez, déclara Suzanne.

Owen eut l'air très surpris.

— Je ne m'en serais pas douté, dit-il simplement.

Appuyée à la barrière de l'enclos, Suzanne attira l'attention de Mélanie sur les chevaux.

— J'ai passé beaucoup d'étés dans un camp de vacances équestre, expliqua-t-elle. Après la mort de mes parents, mon oncle et ma tante ont fait leur possible pour me distraire et m'occuper.

— Vous aimiez monter à cheval ?

— J'adorais ça… Et Darcy ? Aime-t-elle vivre ici ?

— C'est chez elle depuis toujours. Parfois, je songe à aller vivre en ville, pour qu'elle soit près de ses amis et de son école. Je pourrais venir travailler au ranch chaque jour. Mais elle ne veut pas en entendre parler. Je suppose qu'il y a déjà eu assez de changements dans son existence. Cette maison, c'est son nid.

— Elle vous aime certainement beaucoup.

Owen haussa les épaules.

— Je ne sais pas comment on élève les filles. Mais je fais de mon mieux.

Suzanne n'en doutait pas un instant. Owen Chase était un homme de devoir. Quelqu'un qui tenait ses promesses. Même si cela impliquait d'élever deux enfants qui n'étaient pas les siens.

Se détournant des chevaux, Owen invita Suzanne à pénétrer dans la maison.

— Je pourrai prendre des photos ? demanda-t-elle.

Autant prétendre qu'elle travaillait encore à son reportage, songea Suzanne. Cela ferait diversion à la tension qui existait entre eux depuis leur arrivée au ranch.

— Tout ce que vous voulez, répliqua-t-il. Rentrons avant que Mel n'attrape froid.

Tout en parlant, Owen s'empara de sa nièce, qui ne fit aucune difficulté pour quitter les bras de Suzanne. Au contraire, elle tira le nez de son oncle en souriant et babillant.

— La coquine ! s'exclama Suzanne. Elle m'a joué la comédie !

— Elle a ses sautes d'humeur, expliqua Owen. Peut-être ne voudra-t-elle que vous, quand viendra l'heure de la sieste.

Suzanne étouffa un bâillement. Ils approchaient de la maison, une bâtisse victorienne de deux étages, solide et gracieuse à la fois. Suzanne suivit Owen vers la véranda à l'arrière de la maison.

— Désolé que la petite vous ait tenue éveillée toute la nuit, dit-il en ouvrant la porte. Ne faites pas attention au désordre. C'est la pièce où j'entasse bottes crottées et outils souillés de terre et de boue.

Lorsque Owen alluma la lumière, Suzanne trouva au contraire l'endroit fort bien rangé. Tout semblait à sa juste place. Une selle posée dans un coin. Des cordes accrochées à un gros clou. Des

126

bottes de travail, soigneusement alignées le long d'un mur. Des outils suspendus au-dessus d'un long banc de bois.

— Dois-je enlever mes chaussures ? demanda-t-elle.

— Ça dépend du temps que vous déciderez de rester. Voulez-vous seulement prendre quelques photos et partir ? Ou bien attendrez-vous que Mel se soit endormie ? Dans ce cas, je vous fais une tasse de café.

— D'accord pour le café, acquiesça Suzanne.

Quelle faiblesse ! se lamenta-t-elle en son for intérieur. Alors qu'elle aurait dû sauter dans sa voiture. S'éloigner de cet endroit le plus vite possible. Qu'avait-elle à faire ici ? Owen Chase rêvait d'une relation durable avec une femme. Il avait beau dire le contraire, ce qu'il recherchait, c'était une épouse. Une mère pour ses nièces. Une femme au foyer.

Et elle n'était pas cette femme-là.

Elle qui avait un travail passionnant, un bon compte en banque, et de surcroît le cœur en écharpe ! Dans sa vie bien remplie, quelle place réserver à un rancher du Montana croulant sous les responsabilités ? En outre, elle n'avait aucune envie de demeurer à Bliss. Même si la ville se révélait très divertissante au moment du festival du mariage.

De plus, elle ne croyait pas aux vertus des mariages arrangés. Et en dernier lieu, la seule pensée d'unir son destin à celui d'un homme, quel qu'il soit, la faisait fuir au galop. Dans ces conditions, que faire, si ce n'est prendre la poudre d'escampette ?

Ayant ainsi analysé la situation, Suzanne abandonna pourtant le bel échafaudage de cette logique. Elle retira ses chaussures tachées de neige et de boue et suivit Owen dans la cuisine.

Penchés au-dessus du berceau de Mélanie, Owen et Suzanne regardaient d'un air dubitatif ses grands yeux remplis de larmes.

— Vous croyez qu'elle va s'endormir ? demanda Suzanne. Elle n'a pas l'air d'avoir sommeil.

Elle étouffa un nouveau bâillement. La tasse de café que Owen lui avait préparée ne lui avait pas rendu son énergie. Elle avait du mal à garder les yeux ouverts. D'un geste tendre, elle remonta la couverture de Mélanie, et chuchota à l'adresse de Owen :

— Je reste un petit moment avec elle. Juste le temps de m'assurer que tout va bien.

— C'est l'affaire de cinq minutes, affirma Owen. Pendant ce temps-là, je vais préparer un petit repas vite fait.

Suzanne opina de la tête. Une fois seule avec le bébé, elle se plongea dans ses réflexions. Ainsi donc, voilà ce qui arrivait, lorsque l'horloge biologique d'une femme se réveillait ? Une femme indépendante, aux émotions bien maîtrisées, en venait à ne souhaiter qu'une chose : bercer une enfant jusqu'à ce qu'elle s'endorme !

Penchée au-dessus du berceau, elle frottait doucement le ventre de Mélanie. Dès qu'elle s'arrêtait, l'enfant rouvrait des yeux alarmés.

— Je suis là, assura Suzanne d'une voix tendre.

Ce disant, elle s'assit sur le bord du grand lit situé à quelques centimètres du berceau. Elle regarda autour d'elle. La chambre était tapissée de roses jaunes fanées par des années de soleil. Aux fenêtres, des rideaux de dentelle. Des meubles blancs. La chambre de jeune fille de la sœur de Owen ? se demanda-t-elle.

Mélanie ne ferma pas les yeux tout de suite. Ereintée, Suzanne s'allongea sur la couette, la tête appuyée à un oreiller douillet. Etendue sur le côté, elle se trouvait presque au niveau des yeux de la petite fille.

— Tu vois ? Je vais dormir avec toi, chuchota-t-elle.

De nombreuses fois, Suzanne avait vu ses sœurs employer ce subterfuge pour endormir leurs enfants. Mais jamais elle n'avait mesuré la fatigue qu'elles ressentaient après une longue nuit sans sommeil, passée à réconforter un enfant angoissé ou malade.

Dès que Mélanie se détendit et ferma les yeux, Suzanne en fit autant. Juste une minute, se promit-elle. Pour se reposer. Ensuite, elle avalerait un en-cas avec Owen. Avant de tirer sa révérence de façon civilisée.

Elle cala sa tête sur l'oreiller. Ses pensées dérivèrent en direction de l'heure qui venait de s'écouler. Owen lui avait fait les honneurs du rez-de-chaussée de la maison. Une bâtisse solide, confortable. Étonnamment propre. Une femme de ménage entretenait-elle ce foyer ? s'était-elle demandé. Les planchers étaient de pin, les murs peints couleur ivoire. La grande salle de séjour était équipée d'une cheminée, autour de laquelle étaient disposés deux gros fauteuils ventrus. Le temps avait patiné les meubles simples et fonctionnels. Aux murs étaient accrochées des photos de famille dans de jolis cadres de bois. D'épais rideaux chaleureux entouraient les deux portes-fenêtres de la pièce.

Suzanne entendit battre le vent aux fenêtres de la maison, mais elle n'ouvrit pas les yeux. Au contraire, elle sombra dans le sommeil. Immédiatement, elle se mit à rêver. Des rêves peuplés de vieilles dames qui agitaient la main en guise d'adieu. Tandis que, toute vêtue de blanc, elle chevauchait un cheval qui galopait en direction de Owen Chase…

Owen était perplexe. Il connaissait la règle sacrée : on ne réveille pas un bébé qui dort. Son problème était d'un autre ordre : réveille-t-on une femme qui dort ? Une femme qui a clairement exprimé son intention de gagner Great Falls dans la journée. Qui ignore tout de la tempête de neige en cours.

Mais, à bien y réfléchir, ne s'agissait-il pas d'un faux problème ? Puisque les intempéries empêcheraient Suzanne de partir, à quoi bon la réveiller ? Ne valait-il pas mieux lui permettre de se reposer ?

Adossé au chambranle de la porte de la chambre de Mélanie, Owen pesait le pour et le contre. Finalement, il opta pour la solution la plus raisonnable : laisser Suzanne dormir. Mettre au frigo l'en-cas qu'il avait préparé. Voir venir. Vaquer à ses occupations extérieures, tant que la tempête de neige ne les rendait pas impossibles.

Si seulement il ressemblait à Calder ! ruminait-il en son for intérieur. Comme tout serait simple, dans ce cas ! Il n'aurait aucun scrupule à séduire Suzanne. Il considérerait cette tempête de neige comme providentielle. Le destin mettait dans son lit une femme magnifique. Que faire d'autre, sinon en profiter sans états d'âme ? A n'en pas douter, son copain Gabe verrait les choses de la même façon.

Oui, mais voilà ! Gabe et Calder étaient différents. Dès le lycée, ils avaient su y faire avec le sexe opposé. Dans leur trio, il avait toujours été le timide. Celui qui reste à l'écart dans les soirées. Les mains dans les poches. Incapable d'articuler une parole sans bredouiller.

Owen soupira et haussa les épaules. « On ne se change pas, raisonna-t-il. Mieux vaut s'accepter tel qu'on est. Et faire avec. »

Son sens pratique reprit le dessus. Suzanne allait attraper froid, se dit-il. S'emparant d'une couverture, il l'en recouvrit avec d'infinies précautions. Il souhaitait de toutes ses forces ne pas la réveiller. Et il y parvint. Enfin, presque. Car il lui sembla voir passer l'ombre d'un sourire sur le visage aimé.

Il éprouva alors l'envie irrésistible d'écarter une mèche de cheveux qui barrait la joue de la jeune femme. Mais il s'en abstint. Au lieu de cela, il lui tourna le dos. Sa résolution était prise, et il s'y tiendrait : d'abord, la laisser dormir tout son soûl. Ensuite, demain matin, l'aider à regagner Great Falls à temps pour attraper son avion. Pour lui, c'était une question d'honneur.

Il atteignait la porte de la chambre lorsqu'il entendit Suzanne chuchoter :

— Owen ?

Il pivota sur ses talons et la contempla. Elle cligna des yeux. Engourdie de sommeil, elle lui sembla encore plus belle que d'habitude.

— J'ai dû m'endormir…

— Ce n'est pas un problème.

— Depuis combien de temps ?

— A peu près une heure.

— Quelle heure est-il ? s'informa-t-elle.

— Presque 15 heures. Mel dort encore.

Suzanne sourit.

Cette fois-ci, le cœur de Owen chavira. Penché vers elle, il repoussa derrière son oreille la mèche de cheveux qui lui barrait la joue. Sous ses doigts rugueux, la peau satinée de la jeune femme était pure soie.

— Reposez-vous, dit-il.

— Quelle triste visiteuse je fais ! Je ne suis même pas descendue déjeuner !

Owen s'assit au bord du lit.

— Le déjeuner peut attendre, assura-t-il. Ecoutez… je dois vous avouer quelque chose.

— Laissez-moi deviner… Vous avez trois femmes ? Six enfants illégitimes ? Ce ranch ne vous appartient pas ?

La tendre ironie de Suzanne, sa voix encore ensommeillée tourneboulèrent Owen.

— Il neige, déclara-t-il tout à trac.

Suzanne ne comprit pas d'emblée les implications de cette déclaration.

— Il neige ? répéta-t-elle.

— Beaucoup. Et ça ne fait que commencer. Ça nous vient du Canada, et…

— Nous sommes bloqués ? l'interrompit Suzanne.

Elle roula sur le côté et dirigea son regard vers la fenêtre. Mais les rideaux tirés lui cachaient la scène hivernale.

— Pas encore. Mais... vous entendez le vent ? Se rendre à Great Falls en pleine tempête serait de la folie.

— J'ai un 4 x 4, ne l'oubliez pas.

— Mon chou, même avec un tank vous ne seriez pas plus avancée. Quand on ne voit pas où on va, on sort de la route. Un point c'est tout.

— Vous m'avez appelée « mon chou », murmura Suzanne.

— Eh bien... vous êtes dans mon lit, après tout !

— Votre lit ! Dans cette chambre de jeune fille !

Owen caressa du doigt l'ovale du visage de Suzanne.

— Dans mon enfance, c'était ma chambre. Avant que Judy ne revienne à la maison, et ne la décore à sa façon...

— J'aime bien cette pièce, commenta Suzanne.

— Merci.

Le pouce de Owen s'attarda sur la lèvre inférieure de Suzanne. Puis il laissa retomber sa main sur ses genoux.

Sur un ton presque implorant, elle demanda :

— Vous ne m'embrassez pas ?

Il se pencha vers elle, effleura sa tempe de ses lèvres et murmura :

— Pourquoi le ferais-je ?

Suzanne passa ses bras autour du cou de Owen. Sa voix se fit douce et taquine.

— Pourquoi, en effet ? Vous avez mieux à faire dehors, avec votre bétail et vos chevaux.

La bouche de Owen s'aventura jusqu'à la commissure des lèvres de Suzanne.

— Pour sûr ! Surtout quand il neige et que le blizzard souffle.

— Et quand le bébé dort, ajouta-t-elle.

132

— Oui, renchérit-il. J'adore m'absorber dans le travail du ranch. Surtout quand une belle femme est allongée dans mon lit.

Le cœur battant, il goûta la douceur des lèvres de Suzanne. Mais il n'essaya pas d'aller plus loin. Au contraire, il releva la tête et plongea ses yeux dans le regard azuré de sa compagne. Dieu fasse qu'elle continue à lui sourire ! pria-t-il en son for intérieur. Qu'elle ne se lève pas. Qu'elle ne parte pas.

— Votre *ancien* lit, corrigea-t-elle en passant une main légère dans les cheveux de Owen.

— Je peux vous montrer où je passe mes nuits, maintenant que je suis grand, murmura-t-il.

Sa propre audace fit trembler Owen. En avait-il trop dit ? Trop pour Suzanne, en tout cas ? Allait-elle partir sans autre forme de procès ?

Pour atténuer le choc de son invite, il poursuivit d'un air désinvolte :

— Disons, je pourrais… si je n'étais pas pressé de retourner à mes occupations.

Suzanne attira Owen contre elle. Au moment où leurs lèvres se joignaient, elle fit mine de se raviser.

— Bien sûr… Le travail d'abord ! Ma proposition était déraisonnable.

— Complètement saugrenue, vous voulez dire !

Nonobstant cette déclaration, il souleva Suzanne dans ses bras.

— C'est même l'idée la plus saugrenue de ma vie, acheva-t-il.

Elle posa sa tête au creux de l'épaule de Owen, et se laissa transporter vers une chambre, au bout du corridor. Une grande pièce toute simple. Confortable et chaleureuse. Avec un lit immense.

— Quelle couche royale…, chuchota Suzanne à son oreille.

Owen la déposa sur la couette. Debout au bord du lit, il contempla la femme dont la tête reposait sur son oreiller.

— C'est un lit pour deux, dit-il. Acheté il y a quelques années. Pour le cas où le festival me serait un jour favorable…

— Et alors ?

— Cette année… disons… j'ai peut-être une chance. Au-delà de mes rêves les plus fous.

Suzanne se mit à rire.

— Croyez-vous que les vieilles dames aient manigancé tout cela ? demanda-t-elle.

Owen se pencha vers Suzanne.

— Si c'est le cas, mon estime pour Ella Bliss virera à la vénération pure et simple.

Le sourire de Suzanne perdit de son éclat.

— Owen…, commença-t-elle.

Sur-le-champ, il se rembrunit. C'était trop beau pour être vrai, songea-t-il avec fatalisme. Elle avait changé d'avis. Eh bien tant pis ! Il ferait contre mauvaise fortune bon cœur. Ils joueraient ensemble au Scrabble, en attendant que la neige s'arrête de tomber. Ensuite, il dégagerait son allée jusqu'à la route nationale, et la regarderait partir. Ce serait le point final d'une histoire qui aurait pu être belle.

Pour couper court, il décida :

— Descendons. Vous avez besoin de déjeuner.

Comme Owen se redressait, Suzanne lui effleura le visage de la main. Puis elle fit glisser un doigt sur ses lèvres.

— Je… je voulais seulement savoir où se trouvait Darcy.

— En ville, chez une amie. Elle rentrera demain après l'école.

— Dans ce cas… embrassons-nous, suggéra-t-elle d'une voix rauque.

En cet instant précis, si ce n'était déjà fait, Owen serait tombé fou amoureux de Suzanne.

10.

Les pensées se bousculaient dans la tête de Suzanne. A quoi s'apparentait ce qu'elle éprouvait en ce moment précis ? Etait-ce de l'amour ? Du désir physique ? Un engouement passager ? Une reddition sans conditions aux prétendus pouvoirs de la ville de Bliss ? Qu'importe ! Elle jetait l'éponge. Ne luttait plus. Ni contre la passion qui palpitait en elle. Ni contre la tempête de neige. Ni contre les manigances de quatre vieilles dames chenues. Sa rencontre avec Owen Chase faisait d'elle une autre femme. Par conséquent, elle se soumettait à son destin. Pour le moment, en tout cas.

De son côté, Owen couvait Suzanne du regard. Comme s'il craignait de la voir disparaître d'un instant à l'autre. Finalement, quelque chose se dénoua en lui. Il s'inclina vers sa compagne, et l'emporta dans un long baiser.

Oubliés, les effleurements timides, au coin des lèvres, sur la tempe. Son baiser plein de fougue étourdit Suzanne. Lui ôta toute notion de la tempête qui faisait rage à l'extérieur. Subjuguée, elle laissa ses mains courir sur le torse puissant de Owen. Puis, cédant tout à fait à l'ardeur qui la brûlait, elle l'attrapa par les pans de sa chemise, et l'attira contre elle.

En appui sur ses avant-bras, il la couvrit de son long corps ferme et tendu. Malgré l'épaisseur de son jean, Suzanne sentit contre son ventre la preuve irréfutable du désir de son amant.

A ce contact, une puissante convoitise s'empara d'elle. Une envie féroce de le sentir en elle.

La langue de Owen fouillait la bouche de Suzanne en mouvements érotiques, créant en elle une spirale de désir toujours plus intense. De ses doigts impatients, elle fourrageait dans ses cheveux drus. Se laissait improviser.

Délaissant quelques instants la bouche de son amante, Owen roula sur le côté et s'allongea contre elle. Dans cette position, il avait toute latitude de caresser à satiété le corps voluptueux lové contre le sien. Il glissa une main sous son pull, et pétrit la peau satinée de sa compagne, sentit ses seins palpiter sous sa paume.

Avec une lenteur maladroite, qui ajoutait à la torturante envie de Suzanne, Owen lui ôta son pull. Puis il défit l'agrafe de son soutien-gorge, découvrant deux seins d'albâtre qui exigeaient des caresses.

De son côté, la jeune femme s'attaqua d'une main fébrile aux boutons de la chemise de Owen. Bientôt, ils se retrouvèrent peau contre peau.

Une frénésie s'empara d'eux. Leur convoitise réciproque devint très vite insoutenable. Owen abaissa la fermeture Eclair du pantalon de Suzanne. En moins de temps qu'il n'en faut pour le dire, elle s'en débarrassa et le jeta à terre, où le rejoignit son slip de dentelle. Dans un état second, Owen se dépouilla de ses propres vêtements.

L'espace d'un instant, Suzanne prit vaguement conscience du vent qui soufflait à l'extérieur. Les flocons de neige glacés frappaient aux carreaux. Elle se reput de son bonheur : c'était l'après-midi idéal pour s'enfermer dans une chambre. Avec un homme irrésistible.

Quand elle vit Owen sortir un préservatif du tiroir de la table de chevet, un soulagement diffus l'envahit. Depuis son mariage raté, la contraception ne faisait plus partie de ses préoccupations. Amour physique, désir, volupté, elle avait jeté tout cela aux oubliettes. En bloc.

Comme elle avait eu tort ! songea-t-elle dans une brume.

Les mains rugueuses de Owen couraient sur son corps, le pétrissaient amoureusement, le réchauffaient, faisaient naître en elle mille foyers d'incendie.

Elle se lova contre ce grand corps d'homme, frotta ses seins contre son buste, ondula des hanches pour attiser son désir. Puis, n'y tenant plus, elle le fit basculer sur elle.

Sans la moindre fausse pudeur, elle s'offrit à lui. Arqua son corps pour mieux le recevoir. Cédant à son propre désir effréné, Owen s'enfonça en elle d'un long coup profond. Avant de s'immobiliser un instant.

— Tu… tu es toujours d'accord ? demanda-t-il d'une voix rauque.

Pour toute réponse, Suzanne l'enserra dans la profondeur de son être. Galvanisé par cette incitation, Owen se laissa emporter par le feu accumulé au creux de ses reins. D'abord lents et contrôlés, ses va-et-vient s'accélérèrent. Il allait toujours plus loin en elle, toujours plus profond. Les gémissements de son amante décuplaient son plaisir, fortifiaient son désir de donner.

Suzanne s'agrippa aux épaules de Owen. Sentant monter en elle les soubresauts de la félicité, elle s'abandonna à sa jouissance en balbutiant des mots incohérents.

Les spasmes de Suzanne enivrèrent Owen. A son tour, le plaisir déferla sur lui comme une vague. L'engloutit dans un tourbillon sans fond.

Longtemps, ils demeurèrent rivés l'un à l'autre. Haletants et éblouis. Puis Owen remonta tendrement les couvertures sur eux, et ils s'endormirent, enlacés front contre front.

Les pleurs de Mélanie réveillèrent Owen. Au premier abord, il ne comprit pas où il se trouvait. Quelle heure était-il ? Pourquoi la chambre était-elle plongée dans l'obscurité ? A qui appartenait la tête qui reposait au creux de son bras ?

Puis tout lui revint en bloc. Inondé de bonheur, il sourit dans le noir. Remercia sa bonne étoile. Dieu sait qu'il en aurait encore besoin au cours des heures à venir ! songea-t-il.

Mais pour le moment, une seule chose importait : se lever avant que les cris de Mélanie ne réveillent Suzanne. Aussi délicatement que possible, il démêla ses membres de ceux de sa compagne, la recouvrit avec d'infinies précautions, et enfila un jean.

Un peu plus tard, assis dans son fauteuil au coin de la cheminée, Owen donnait son biberon à sa nièce. Tandis qu'elle l'avalait goulûment, il réfléchissait à sa vie. Beaucoup de choses avaient changé, au cours des heures qui venaient de s'écouler. Pour commencer, Suzanne avait accepté de venir voir son ranch. Ensuite, elle s'était retrouvée dans son lit. En fait, les événements prenaient une heureuse tournure !

Cependant, un problème de taille se profilait : comment convaincre Suzanne de rester ? Il était presque 6 heures du soir. Pour dîner, il allait sortir deux steaks du congélateur, faire un bon feu dans la cheminée, ouvrir la coûteuse bouteille de cognac que Calder lui avait offerte pour son dernier anniversaire. Ensuite, il accomplirait ses tâches du soir avant que Suzanne ne se réveille.

Plus il organisait avec méthode les choses dans sa tête, plus le tourmentait son souhait le plus profond : retourner au lit avec Suzanne. Se repaître de sa présence. Lui faire l'amour toute la nuit.

Jamais il n'avait eu le sentiment d'être un homme romantique. Et le voilà tout à coup qui croyait au coup de foudre ! Dès leur première rencontre, songeait-il, elle lui avait plu. Au point qu'il avait été incapable d'articuler une parole en sa présence. Qu'il n'avait pu s'empêcher de l'embrasser.

Mais dans une histoire d'amour, on est toujours deux ! Et c'est là que les choses se compliquaient. Que pensait Suzanne ? Qu'attendait-elle au juste de la vie ? Son existence était aux antipodes de la sienne. Comment considérerait-elle ce qu'ils venaient de vivre ? Comme un bref interlude sexuel ? Une rencontre d'un jour ? Une passade ? Une façon de joindre l'utile à l'agréable tout en préparant son article ?

Désorienté, Owen soupira. Ses yeux tombèrent sur Mélanie.

— Je suis trop vieux pour une passade, lui avoua-t-il. Et trop solitaire…

Mélanie fixait son oncle de ses grands yeux expressifs. Comme si elle comprenait ses propos.

— Areu, areu, gazouilla-t-elle.

— Toi aussi, dans dix-huit ans, tu briseras des cœurs, ma puce.

Il la souleva à bout de bras, puis la tint debout sur ses genoux.

— Faisons un marché, proposa-t-il. Si tu dors toute la nuit sans pleurer, je t'offre un poney. D'accord ?

— Areu, acquiesça Mélanie.

— Marché conclu !

Suzanne s'empara de l'éponge posée au bord de l'évier, et se tourna vers Owen :

— Va faire ton travail, lui dit-elle. Je m'occupe de la vaisselle.

Des étoiles dans les yeux, Owen la contempla. Comme s'il recevait le paradis sur un plateau.

— Que de choses inhabituelles, depuis quelques heures ! expliqua-t-il d'une voix embuée d'émotion.

— Ne t'inquiète pas. Je sais faire la vaisselle. Je sais aussi changer les couches d'un nourrisson. Tante Suzanne s'occupe de tout !

Se penchant vers elle, Owen déposa un baiser au creux de sa nuque.

— J'adore quand tes cheveux sont relevés de la sorte. Est-ce que tante Suzanne rejoindra oncle Owen au lit, dans un moment ?

— Ça peut se faire !

La voix de Suzanne demeurait taquine et légère, sa main rivée à l'éponge. Mais au fond d'elle-même, elle mourait d'envie de se lover dans les bras de Owen. Poser son front sur son torse puissant. Éclater en larmes. Pour une raison qu'elle comprenait mal, elle n'était plus qu'une boule d'émotions presque incontrôlables. Seul un violent effort sur elle-même lui permettait de présenter une façade sereine.

Owen ne fut cependant pas dupe. Posant ses mains sur les épaules de Suzanne, il la contraignit à lui faire face.

— Quelque chose ne va pas ? demanda-t-il en la regardant au fond des yeux.

Elle lui décocha son plus éclatant sourire.

— Pas le moins du monde ! Tu ne me connais pas sous mon jour domestique, c'est tout !

Sans se laisser abuser, Owen insista :

— Je ne parle pas de la vaisselle. Es-tu d'accord pour rester chez moi cette nuit, le temps que la tempête passe ?

Le temps que la tempête passe ! Cette idée vrilla le cœur de Suzanne.

— Tout à fait d'accord. Vraiment.

La voix de Owen se fit plus douce encore :

— J'ai porté tes bagages dans ma chambre… mais tu peux dormir dans l'ancienne chambre de Judy, si tu préfères.

— Et toi, que préfères-tu ?

Owen se pencha vers Suzanne et l'embrassa.

— Je te veux. Toi et rien que toi.

— C'est aussi simple que ça ?

Comment était-ce possible ? s'étonna Suzanne *in petto*. Elle ne connaissait cet homme que depuis quatre jours. Et voilà qu'elle se retrouvait chez lui. En train de lui remplir son lave-vaisselle. De bercer son enfant. De faire l'amour avec lui.

A la seule évocation de leurs deux corps enlacés, ses joues s'empourprèrent. Son esprit s'enflamma.

L'espace d'un instant, Owen sembla hésiter.

— Pour le moment, répliqua-t-il d'un ton incertain.

— Je te rejoins bientôt, promit-elle. Vaque à tes occupations.

La porte de la cuisine se referma derrière Owen. Suzanne prit une profonde inspiration. Elle lança autour d'elle un long regard. La pièce était douillette. Mélanie semblait aux anges. Perchée sur sa chaise haute, elle tapait de grands coups avec sa cuillère et gazouillait sans retenue. Suzanne l'avait à l'œil tout en remplissant le lave-vaisselle.

Contrairement à sa minuscule cuisine de New York, celle-ci était spacieuse et bien conçue. Les proportions du comptoir en L étaient harmonieuses, les placards nombreux et fonctionnels, le réfrigérateur énorme. La longue table de chêne pouvait accueillir une famille nombreuse. En bref, cette vaste pièce respirait le confort. Le bonheur. Elle donnait envie de pétrir son propre pain. De faire son nid, reconnut Suzanne à son grand désarroi.

Comment était-ce possible ? Elle ne connaissait cet homme que depuis quatre jours. N'avait fait l'amour avec lui qu'une seule fois. Et pourtant, au réveil, elle avait été déçue de ne pas le sentir à côté d'elle. Elle l'avait cherché de la main dans le lit, avait respiré son odeur sur sa peau, sur l'oreiller. Elle était ensuite restée allongée un long moment dans le noir. A l'écoute du vent qui battait les carreaux des fenêtres. Des bruits réconfortants que faisait Owen au rez-de-chaussée : bruits de casseroles, de portes qui s'ouvrent et se ferment, d'eau qui coule au robinet. Cela avait été un moment délicieux. Un de ces instants trop rares, où on se sent au bon endroit, au bon moment.

En compagnie de l'homme qui convient.

Une douche bien chaude, un bon repas tout simple avaient conforté en elle l'étrange sentiment d'être à sa place dans cette maison. Même si elle ne connaissait le maître de maison que depuis quatre jours. Au cours du dîner, la conversation entre Owen et elle avait roulé le plus naturellement du monde. Ils avaient échangé quelques histoires de famille, partagé une bouteille de bon vin, parlé de Mélanie, de la vie dans le Montana. Lui avait exposé les problèmes de l'élevage de bétail à grande échelle, avait brossé dans ses grandes lignes l'histoire du ranch. Elle avait raconté ses dernières vacances en Italie, parlé de certains articles qu'elle avait écrits pour son journal.

Et maintenant, elle se tenait au milieu de cette cuisine. Les larmes aux yeux. Et pourquoi ? Parce qu'elle avait le coup de foudre pour cette maison. Une maison appartenant à un homme qui lui plaisait intensément. Mais qu'elle se refusait à aimer.

Louisa écarta les doubles rideaux et scruta la nuit tombante.

— Il neige toujours autant, soupira-t-elle. Crois-tu que la tombola va être annulée ?

142

Ella se refusa à lever le nez de son journal. Si Louisa sombrait dans son obsession pour les hommes, libre à elle ! Elle ne se laisserait pas entraîner sur ce terrain.

— Pas la moindre idée, grommela-t-elle.

Contrariée, Louisa traversa le salon à petits pas et vint s'asseoir près de sa sœur.

— Pourtant, c'est toi qui t'occupes de la tombola, non ?

— Pas cette année ! C'est au tour de l'église.

Avec ostentation, Ella continuait à lire le journal. Si Lou se complaisait à geindre sur sa soirée ratée, grand bien lui fasse. Pour sa part, elle avait d'autres chats à fouetter !

— Que faire ? gémit Louisa. J'avais des plans pour ce soir, moi !

Ella rongeait son frein. Quelle gourde, cette Louisa, tout de même ! Voilà qu'elle rêvait de courir le guilledou, animée d'un romantisme ridicule. Mieux valait faire la sourde oreille ! décida-t-elle.

— Il est presque 19 heures, reprit Louisa. Au lieu de lire le journal, nous ferions mieux de nous préparer !

De guerre lasse, Ella abaissa son journal et regarda sa sœur par-dessus ses lunettes.

— En ce qui me concerne, je ne prendrais pas le risque de me casser une jambe pour flirter avec Pete Peterson ou le vieux Cameron, affirma-t-elle d'un ton sans réplique.

— Ou Hal, ajouta Louisa.

— Hal ? Qui est-ce ?

— Il travaille à la station-service. Sa femme est morte, il y a quelque temps.

Ella leva les yeux au ciel. Grâce à Dieu, ses parents lui avaient épargné l'imagination débordante dont ils avaient gratifié sa jumelle ! Ainsi que son attrait tardif pour la sexualité !

— Ecoute, Lou. Appelle Grace. Elle sait sûrement si la tombola est maintenue ou pas.

Opinant de la tête, Louisa se dirigea vers la cuisine. Ella en profita pour se replonger dans la lecture du journal. Un tremblement de terre au Chili faisait la une. D'autre part, le président annonçait une baisse d'impôts substantielle. Cependant, aucun de ces deux sujets captivants ne retint durablement son attention. De la cuisine lui parvenait le pépiement de Louisa. « Une vraie pie ! » soupira-t-elle. Néanmoins, une curiosité insidieuse la tourmentait à présent. Et quand Louisa la rejoignit sur le canapé, elle plia son journal et le plaça sur la table basse.

— Eh bien ? s'enquit-elle.

— Annulé. Personne ne veut sortir dans ce blizzard.

— Ça ne m'étonne pas. Tu sais bien que ces tempêtes du mois de novembre sont meurtrières.

— Et contrariantes, soupira Louisa. Je me serais tellement amusée…

— Sois positive : la tempête a peut-être désorganisé tes projets. Mais elle rend un grand service à Owen ! Je suis sûre que Suzanne Greenway a un faible pour lui. Maintenant qu'il lui a montré son beau ranch, et qu'elle le connaît mieux, elle réfléchira à deux fois avant de partir. Si elle n'est pas trop sotte…

Louisa gloussa d'un air coquin :

— J'espère qu'il fait davantage que lui montrer son ranch. Si tu vois ce que je veux dire !

— Lou, je t'en prie ! s'indigna Ella.

Mais dans le fond, seul le bonheur de Owen Chase lui importait. Par conséquent, s'il expérimentait avec Suzanne l'aspect physique du mariage un peu avant l'heure, quelle importance ? Après tout, dans certains cas, la fin justifiait les moyens !

Les pensées de Owen se bousculaient dans sa tête. Pas question de tomber davantage amoureux de Suzanne qu'il ne l'était déjà ! s'enjoignit-il. La passion était une chose. L'engagement en était une autre. Bien différente. Fort de cet axiome, il s'exhorta à la prudence. Même si chaque fibre de son être réclamait Suzanne. Son idéal féminin. N'en demeurait pas moins un obstacle de taille : il ne se sentait prêt ni pour la bague au doigt ni pour les serments éternels.

En tout cas pas ce soir. Ce soir serait fait de romantisme, d'un bon feu de cheminée, de cognac bu ensemble. Et d'amour dans son grand lit. Pas davantage.

L'impatience le rongeait. Il accomplit ses travaux en hâte, puis suspendit ses vêtements souillés dans le débarras, et se précipita dans la cuisine. Personne. Malgré l'odeur de café frais, la vaisselle n'était pas achevée, et la pièce était vide. Il se rendit dans le salon. Ni Mélanie ni Suzanne ne s'y trouvaient. Il ajouta deux bûches dans l'âtre et se dirigea vers l'escalier qui montait au premier.

Au moment où il posait le pied sur la première marche, lui parvinrent la voix de Suzanne, les éclats de rire de Mélanie, des bruits d'eau. Il gravit l'escalier en courant, et passa la tête par l'entrebâillement de la porte de la salle de bains. Le spectacle le ravit. Mélanie tapait des deux mains la surface de l'eau. Suzanne, agenouillée par terre, lui soutenait le dos pour qu'elle tienne en équilibre.

Owen poussa la porte et s'accota au chambranle.

— Bonjour, oncle Owen, dit Suzanne.

Puis elle se retourna et lui sourit.

— Mélanie a mangé si salement que je lui donne un bain, expliqua-t-elle. J'espère que tu n'y vois pas d'inconvénient ?

Sa soirée romanesque commençait mal ! songea Owen avec fatalisme. Mais il répondit de bonne grâce :

— Aucun, bien au contraire !

Suzanne sortit Mélanie du bain et l'enveloppa dans une grande serviette.

— Je la prépare pour la nuit ? demanda-t-elle.

— Si tu veux… Son pyjama est dans le premier tiroir de la commode. Tu as besoin d'aide ?

— Nous nous débrouillons très bien toutes les deux.

— Dans ce cas… je vais ranger la cuisine.

Trop absorbée par Mélanie, Suzanne ne tourna pas la tête.

— Prends ton temps. On s'amuse bien, Mel et moi.

Owen hésita une seconde.

— Désolé, finit-il par dire. Je ne t'ai pas fait venir ici pour faire du baby-sitting…

Cette fois-ci, Suzanne releva la tête et décocha à Owen un sourire malicieux.

— Dans ce cas, tu m'es redevable, Owen Chase.

— A tes ordres.

Mélanie posée sur sa hanche, Suzanne fit mine de réfléchir.

— Ça demande réflexion, susurra-t-elle.

— A ton aise, mon cœur… Rendez-vous dans une demi-heure devant la cheminée.

— Tu crois qu'elle s'endormira aussi vite que ça ?

— Je lui ai promis un poney si elle dormait toute la nuit sans pleurer !

L'allusion à peine voilée fit rosir Suzanne.

— Quelle merveilleuse idée ! admira-t-elle avec une fausse désinvolture.

— Je suis plus malin qu'il n'y paraît !

146

Ce disant, il s'effaça pour laisser Suzanne et Mélanie sortir de la salle de bains.

Suzanne s'arrêta devant lui. Se hissant sur la pointe des pieds, elle déposa un baiser sur sa joue.

— Je sais. Les marieuses m'en ont fait part.

Owen lui aurait volontiers rendu son baiser, mais Mélanie lui asséna un coup de poing sur le nez qui l'en empêcha.

Rien ne se passa comme prévu. Comme Owen sortait de sa douche, Darcy téléphona. Elle voulait savoir si son oncle était bien rentré au ranch, malgré la tempête. Quant à Mélanie, elle refusa de se coucher. Elle n'avait qu'une idée en tête : jouer. Pour ajouter à ces contretemps, l'électricité sauta.

Malgré l'adversité, Owen ne se laissa pas démonter. Il dénicha des bougies qu'il planta dans des bougeoirs. Suzanne versa du cognac dans leurs tasses de café. Tous deux s'assirent devant le feu. Ils s'abîmèrent dans la contemplation muette des flammes. Dehors le vent mugissait dans l'obscurité, accentuant le sentiment de confort et de chaleur à l'intérieur du salon. Au bout d'un moment, l'électricité revint. Mélanie se calma peu à peu et s'endormit. « Dieu fasse que ce soit pour toute la nuit ! » pria Owen en son for intérieur.

Après avoir déposé l'enfant dans son berceau, avec d'infinies précautions, Owen prit la main de Suzanne et la conduisit vers sa chambre. Vers son lit. Cette fois-ci, il ne céderait pas à la hâte, se jura-t-il.

Ils se tenaient l'un contre l'autre dans le noir. Owen glissa ses mains sous le pull de Suzanne et caressa sa peau chaude et satinée.

— Tu ne vas pas partir demain à l'aube pour Great Falls ? chuchota-t-il à son oreille.

Les mains de Suzanne s'aventurèrent jusqu'à la ceinture de Owen, et en défirent la boucle.

— Non, souffla-t-elle en retour. Je prendrai le petit déjeuner avec toi.

Owen fit glisser le pull de Suzanne par-dessus sa tête. Dans le mouvement, les cheveux de la jeune femme retombèrent en cascade sur ses épaules.

— Tu peux manger ici à midi, aussi. Qu'est-ce qui te presse ?

— Rien du tout, chuchota Suzanne.

Lorsqu'elle abaissa la fermeture Eclair du jean de Owen, elle l'effleura de ses doigts.

Un incendie explosa alors au creux des reins de Owen. Il lui fallut tout son self-control pour ne pas rouler sur Suzanne et s'enfouir en elle. Au contraire, affermissant sa maîtrise de lui-même, il s'imposa une lenteur presque surhumaine. Il dégrafa le soutien-gorge de Suzanne, et fit glisser les fines bretelles le long de ses épaules, de ses bras, découvrant ses seins ivoire.

— Et toi ? chuchota-t-elle d'une voix rauque. Quelque chose te presse, demain ?

— Absolument rien. Je crois que je vais passer la journée au lit.

— Vraiment ?

De ses doigts, Suzanne taquina la bande élastique du slip de Owen. De peur de flancher, il n'eut d'autre ressource que de lui prendre le poignet, pour l'éloigner de la zone sensible.

— Tu ne veux pas que je te caresse ? souffla-t-elle.

Owen haletait.

— Plus tard… La prochaine fois… Demain.

Appuyant son front contre le torse de Owen, Suzanne sourit.

— Si tu changes d'avis, fais-le-moi savoir…

— Ne bouge pas, lui intima-t-il.

D'une main qui se voulait calme, il abaissa la fermeture Eclair du pantalon de son amante, qui tomba à terre. Pour tout vêtement, il ne restait à Suzanne qu'un mince triangle de dentelle. Alors il s'agenouilla contre elle, et l'encercla de ses bras. Pour garder l'équilibre, elle posa ses deux mains sur les épaules puissantes de son compagnon.

— Owen, murmura-t-elle.

Il glissa les mains entre les jambes de Suzanne, remonta le long des cuisses avec une torturante lenteur, insinua ses doigts sous le triangle de dentelle. De la langue, il lécha son nombril, avant que sa bouche ne s'aventure plus bas. Toujours plus bas.

Frémissante, Suzanne tremblait entre les mains de Owen. Tout son être exigeait l'aboutissement du désir qui la ravageait.

Mais Owen pouvait encore attendre. De ses doigts amoureux, il trouva le chemin de l'intimité de Suzanne, en caressa la corolle palpitante, avant de les enfouir en elle.

Sous l'ardeur de cette caresse, un cri rauque échappa à Suzanne. Son corps ondoyait au rythme des sensations qui montaient en elle.

Le cœur de Owen se gonfla. Tout son être se dilatait. En cette minute, un souhait surgit en lui : que Suzanne jouisse contre sa bouche. Puisqu'elle le quittait, qu'au moins il connaisse le goût de son être le plus secret. Qu'il en savoure l'arôme. Qu'il s'imprègne l'âme des gémissements que le plaisir lui arracherait.

Enserrant les cuisses de Suzanne entre ses grandes mains, il en parsema d'abord l'intérieur de baisers fiévreux. Puis il se fit plus précis. Chaque caresse de sa langue portait à l'incandescence les sensations de Suzanne. Jamais aucun homme ne l'avait affolée à ce point. Il excellait à découvrir les endroits les plus sensibles, les plus à vif. Des endroits jamais visités par aucun autre.

Quand il se montra encore plus audacieux, un reste de pudeur incita Suzanne à le repousser. Mais il la tint fermement entre ses mains. Vaincue, elle s'abandonna à la bouche de son amant, et laissa déferler la vague exquise.

Le plaisir de sa compagne arracha à Owen un râle de joie. Il la tint serrée contre lui, la léchant doucement, jusqu'à ce qu'elle reprenne son souffle, que se calment les ondoiements fous de son corps. Puis il se releva, la souleva et la déposa sur le lit.

Enfin, le corps tendu à l'extrême, il s'allongea sur elle. Au matin, se jura-t-il dans la brume de son désir, Suzanne ne douterait plus qu'elle était aimée.

11.

Owen avait fait l'amour à Suzanne comme si chaque fois devait être la dernière. Le lendemain, Suzanne se réveilla rompue et rassasiée. Jamais ses forces ne la conduiraient au-delà de Bliss, reconnut-elle *in petto*. Même si le vent ne soufflait plus. Même si le soleil brillait derrière les rideaux.

En conséquence, elle retarderait son vol de retour pour New York d'une nuit ou deux. Il lui suffisait de relouer une chambre à Grace Whitlow. Cela lui permettrait d'assister à quelques manifestations supplémentaires du festival, d'interviewer encore un couple ou deux. Tout cela clôturerait ses recherches pour son article.

Une fois réglé ce qu'elle allait faire, elle s'attaqua à ce qu'elle ne *voulait* pas faire. C'était tout aussi clair dans son esprit : elle s'interdisait d'aimer l'homme qui se présentait en cet instant dans l'embrasure de la porte, une tasse de café à la main.

Owen s'avança vers le lit et déposa la tasse sur la table de chevet.

— J'ai pensé qu'un petit café te ferait du bien, dit-il.

Remontant le bord du drap sous ses aisselles, Suzanne se mit sur son séant.

— Merci, répondit-elle en souriant.

Owen se dirigea vers la fenêtre et tira les rideaux. Un flot de lumière pénétra dans la pièce. Immobile, il se perdit dans la contemplation du paysage.

— La tempête est passée, annonça-t-il. Le vent est tombé. Bientôt, les routes seront dégagées.

Sans réagir, Suzanne but une gorgée de café. Owen faisait preuve d'un calme qui cachait quelque chose, pressentait-elle. Elle attendit. Au bout d'un moment, elle demanda :

— Où est Mel ?

— Elle joue dans son berceau. Réveillée depuis 6 heures du matin.

— Si je comprends bien, elle a gagné un poney ?

Les mains enfouies dans ses poches, Owen se tourna vers Suzanne.

— En effet. Je ne regrette pas ma promesse !

S'asseyant au pied du lit, Owen poursuivit d'une voix voilée :

— Merci pour la nuit dernière. Merci d'être restée.

Que répondre ? Pour gagner du temps, Suzanne but une autre gorgée de café. Puis :

— Pour moi aussi, ç'a été une nuit très… précieuse.

— J'aurais aimé te demander de rester, mais je ne peux pas. Darcy…

— Je comprends parfaitement. Oncle Owen ne saurait se permettre de recevoir des dames la nuit.

De toutes ses forces, Suzanne refusait de tomber amoureuse. Mais en était-il encore temps ? Elle en doutait.

— Tout cela restera entre toi et moi, promit-elle.

Owen caressa la couverture qui recouvrait le corps de Suzanne, et s'amusa.

— Mon chou… Toute la ville est au courant !

« Bien sûr ! songea Suzanne. Maudite ville ! Maudit festival ! »

— Dis-moi que tu ne pars pas aujourd'hui, demanda Owen.

— Tu as besoin d'une épouse. Pas d'une liaison d'un jour.

A peine les mots prononcés, Suzanne les regretta.

Owen souleva les sourcils, et lança d'un air malicieux :

— Serais-tu en train de me demander de t'épouser ?

Indignée, Suzanne se récria :

— Bien sûr que non !

Dans sa protestation, elle eut un geste brusque. Le drap glissa, dénudant un de ses seins. Alors, Owen la caressa.

— Owen, souffla-t-elle en fermant les yeux.

— Chut…, dit-il.

Il lui ôta des mains sa tasse de café. Puis, repoussant lentement le drap, il dévoila son corps nu. Un instant, il contempla les formes voluptueuses, alanguies. De ses lèvres humides, il traça un long sillon de baisers fiévreux entre ses seins, puis plus bas, le long de son ventre.

— Quand tu seras partie, murmura-t-il, le souvenir du goût de ta peau m'entêtera.

Beaucoup plus tard, lorsque Suzanne eut pris une douche, se fut habillée, eut passé les coups de fil nécessaires, elle se retrouva plantée au milieu de la cuisine. Déroutée. Comment dire adieu à Owen ? se demandait-elle. Elle ne comprenait rien à ce qui lui arrivait. Par quel mystère une femme saine, équilibrée, indépendante, se laissait-elle prendre à un piège aussi stupide : s'amouracher d'un rancher du Montana ? En cinq jours. Pas un de plus !

— J'ai déblayé la neige autour de ta voiture, déclara Owen. Ainsi que l'allée.

— Quand ?

— Ce matin. Je n'arrivais pas à dormir, confessa-t-il. Je n'avais qu'une idée en tête : te faire l'amour. A la place, j'ai déblayé la neige !

L'estomac noué, elle prononça les mots fatidiques :

— Je *dois* partir.

— Mais tu passes la nuit à Bliss ?

— Oui. Je viens d'appeler Mme Whitlow. Elle a encore une chambre pour moi.

— Et ensuite ?

— Je rentre chez moi.

Pendant ce qui lui sembla une éternité, Suzanne soutint le regard de Owen. Que dire d'autre ? songeait-elle. L'évidence était plus forte qu'eux : ils évoluaient dans des mondes différents. A des années-lumière l'un de l'autre. Ce qu'ils avaient partagé cette nuit s'apparentait à un feu de paille. Il fallait y mettre un point final.

— Si on dînait ensemble à Bliss ce soir ? demanda Owen. Je dois prendre Darcy à la sortie des cours, à 16 h 30. On pourrait venir te chercher et t'offrir des frites et une tarte aux pommes ?

La proposition désarma Suzanne. Elle sourit et plaisanta d'un ton faussement désinvolte :

— Des frites ? Une tarte aux pommes ? Tu connais mes points faibles…

— J'apprends…

« Ne pas l'aimer, s'adjurait Suzanne en son for intérieur. Ne pas confondre amour et désir physique. Ne pas se laisser prendre au mirage du cow-boy mythique. Ne pas sombrer dans la romance sirupeuse qui imprègne cette ville improbable perdue dans le Montana. »

Résolue, elle détourna la tête et s'accrocha à ses certitudes : au moment même où elle quitterait cette ville de cinglés, elle recouvrerait son équilibre et surmonterait cette épreuve. Sans aucun doute.

— Elle est de retour, murmura Grace Whitlow au bout du fil.

Ella colla le combiné à son oreille.

— Pour quelle raison chuchotes-tu ? demanda-t-elle.

— Je ne veux pas qu'elle m'entende ! répliqua Grace d'un ton froissé.

— Elle t'a dit quelque chose ?

— Elle cherche encore une ou deux interviews. Veut prendre quelques photos supplémentaires. Par exemple, moi dans mon salon, avec quelques autres pensionnaires. C'est gentil, non ?

Louisa entra en trombe dans la cuisine.

— Tu parles de Suzanne ? s'enquit-elle auprès de sa sœur. Elle est de retour ?

Une main sur le combiné, Ella informa sa jumelle des derniers événements. Puis, s'adressant à Grace :

— A-t-elle fait mention de Owen ?

— Aucune. En revanche, elle fait une sieste, et m'a demandé de la réveiller pour 16 heures. Tu crois que ça veut dire quelque chose ?

— Elle doit avoir des projets pour la soirée. Un dîner, peut-être ?

Ella étudia le programme des festivités punaisé au mur près du téléphone.

— Il y a ce soir trois séances gratuites de films romanesques, dit-elle. Ça commence à 19 heures. On y va ?

— Ne me comptez pas, déclara Louisa. J'ai un rendez-vous.

Faisant mine d'ignorer la sortie de sa sœur, Ella poursuivit ses réflexions :

— J'imagine mal Owen Chase assistant à trois films avec Cary Grant. Surtout un soir de semaine…

— Je n'y crois pas non plus, assura Grace Whitlow. Mais Missy et moi y allons de bonne heure, pour être bien placées. On te garde une place ?

— S'il te plaît, répondit Ella distraitement.

En fait, l'idylle éventuelle entre Owen et Suzanne Greenway l'intéressait bien davantage qu'une vieille romance hollywoodienne.

— Essaie de savoir si elle rencontre Owen ce soir, enjoignit-elle à son amie.

— Ça paraît en bonne voie, tu ne crois pas ? demanda Grace.

— Il me semble…

Ella regardait sa sœur préparer une salade de fruits.

— Ce serait bien de conclure cette histoire, reprit-elle. Comme ça, nous pourrions nous attaquer au cas d'un autre célibataire.

— En effet, déclara Louisa. En ce qui me concerne, j'en ai quelques-uns en vue.

Les yeux au ciel, Ella s'exhorta en silence à la patience. « Il est tellement plus facile de s'occuper des autres que de sa propre famille », soupira-t-elle en son for intérieur.

Darcy attacha sa ceinture de sécurité, et se tourna vers son oncle :

— Si c'est un rendez-vous d'amour, Mel et moi pouvons manger à la table à côté, déclara-t-elle.

— Pas question !

Owen salua Gabe de la main, quitta le parking de l'école et s'engagea en direction du centre-ville. Il ruminait ses idées dans sa tête. Oui, entre Suzanne et lui, il s'agissait bien d'un rendez-vous d'amour. Un rendez-vous avec une femme dont il était fou. Mais que faire de cet amour ?

— Elle est belle, déclara Darcy d'un ton fervent.

— Oui.

— Tu crois que c'est une vraie rousse ?

— Je suppose...

Il ne le savait que trop ! songea Owen en rougissant. La simple évocation de la nudité de Suzanne attisa le feu de ses reins. Il respira plusieurs fois à fond avant de s'enquérir :

— Pourquoi cette question ?

— Les cheveux roux, c'est joli. Les miens sont ternes. J'ai envie de faire des mèches.

Des mèches ? Owen n'était pas sûr de savoir de quoi il retournait.

— Tu es très bien comme ça, assura-t-il.

Darcy soupira sans répondre.

— Comment s'est passée la journée, à l'école ? demanda Owen.

— Pas mal.

— Et le basket ?

— Bien.

— Jennifer et toi avez fini votre exposé ?

— Oui. J'ai écrit le texte. Elle a fait les diagrammes. Sa mère nous a confectionné de vrais beignets. Un régal !

— Ta grand-mère nous en faisait, quand nous étions petits. Ta mère et moi adorions ça.

— Ah oui ?

— Pour sûr.

— La mère de Jennifer m'a passé la recette. Je pourrai en faire pour nous.

— Ça me rappellerait le bon vieux temps.

Owen se gara dans la rue de Grace Whitlow et arrêta le moteur.

157

— Le livre de cuisine de ta grand-mère est encore au ranch. Tu pourrais même trouver…

Il s'interrompit, interloqué de voir sa nièce pliée en deux, le visage entre ses mains, les épaules secouées de soubresauts.

— Darce ? Que se passe-t-il ?

— Rien.

Détachant sa ceinture, Owen attira sa nièce contre lui.

— Je suis désolé, ma chérie, la cajola-t-il.

Darcy sanglotait sur son épaule. Comme le jour des funérailles de sa mère. Sans dire un mot, il la berçait contre lui. Que faire, sinon attendre que le chagrin s'épuise ? A l'arrière, Mélanie babillait de plus en plus fort.

Peu à peu, les larmes de Darcy se tarirent. Elle renifla et dit :

— Si nous ne prenons pas Mel, elle va bientôt hurler.

— Elle peut encore attendre quelques minutes. Dis-moi ce qui ne va pas.

Darcy se redressa, essuya ses larmes, se moucha.

— Maman me manque tellement, parfois… Je te demande pardon.

— Pardon de quoi ?

— De te donner tant de soucis.

Comme Darcy évitait le regard de son oncle, il tira sur sa manche jusqu'à ce qu'elle lève les yeux vers lui.

— Ma chérie… tu ne me donnes aucun souci.

Le pauvre sourire que Darcy adressa à Owen était dubitatif.

— Tu vas être en retard pour ton rendez-vous, dit-elle d'une voix douce.

— Aucune importance.

Une seule chose comptait pour le moment : que Darcy se sente mieux. Mais comment console-t-on une adolescente de la disparition de sa mère ? Il se sentait impuissant. Lui-même

158

souffrait très souvent de l'absence de sa sœur. Il fallait faire confiance au temps, qui atténue la douleur morale, met du baume sur les plaies vives.

— Je vais chercher Suzanne, dit-il au bout d'un moment. Attendez-moi.

Owen sortit de la voiture, et se dirigea vers la pension de Grace Whitlow. La soirée commençait mal, songea-t-il. Lui qui avait rêvé d'un dîner parfait ! Mais peut-être était-ce mieux ainsi ? Avec ce qu'il avait à lui proposer, Suzanne verrait où elle mettait les pieds. La vie avec lui ne serait pas une longue suite de nuits érotiques, de verres de cognac sirotés au coin du feu. Un bébé, ça pleure. Une adolescente, ça pleure aussi. Même *lui* se sentait l'envie de pleurer, parfois.

Maintenant, par exemple. Au moment où il s'apprêtait à rencontrer la femme de sa vie pour la dernière fois. Sauf miracle.

Suzanne n'avait pas envie de penser à son départ du lendemain. Et pourtant, il était temps de filer. Pendant qu'elle en avait encore la force. Autant le reconnaître, Bliss l'avait agréablement surprise. La grand-rue, avec ses restaurants conviviaux, ses jolis magasins, ses bâtiments coquets, avait été une heureuse découverte. Par ailleurs, en dépit de leur ferveur à marier les autres, les habitants y semblaient accueillants et chaleureux.

En dépit de tout cela, après la nuit torride passée ensemble, que lui restait-il à dire à Owen ? Cette nuit, ils en avaient profité au plus haut point. Mais cela ne les menait nulle part. Une fois de plus, elle nageait en pleine confusion : une partie d'elle-même se réjouissait à l'idée de se repaître de la vue de Owen une dernière fois. Alors que, par ailleurs, elle regrettait d'avoir accepté son invitation. Si seulement il ne l'avait pas conviée à un dîner d'adieu ! Tout aurait été tellement plus facile…

Lorsque Owen frappa à sa porte, Grace Whitlow se répandit en petits gloussements nerveux. En revanche, Suzanne conserva un calme apparent.

— Une dernière interview, expliqua-t-elle à son hôtesse. Je rentrerai très tôt.

Impossible pour Grace de dissimuler sa déception.

— Où sont les enfants ? demanda-t-elle à Owen.

Owen entoura de son bras les épaules de Suzanne.

— Dans la voiture. Nous allons tous les quatre dîner chez Sam Le Marieur.

Un peu rassérénée par cette réponse, Grace reprit du poil de la bête.

— Parfait ! Passez une bonne soirée.

Dès qu'ils eurent franchi le seuil de la maison, Suzanne éprouva une furieuse envie de plaquer sa bouche sur les lèvres sensuelles de Owen. Mais elle n'en fit rien.

Comme ils approchaient du pick-up, Owen se pencha et dit à l'oreille de Suzanne :

— Je préfère t'avertir : Darcy est très malheureuse, ce soir.

— En quoi puis-je l'aider, à ton avis ?

— Fais celle qui ne remarque rien…

Il ne put en dire davantage : Darcy sortait de la voiture et s'avançait vers Suzanne.

— Salut, dit-elle en ébauchant un sourire.

Ses yeux bouffis de larmes en disaient bien davantage qu'un discours.

— Bonsoir, répliqua Suzanne.

Elle s'installa sur le siège avant, et attacha sa ceinture. Elle aurait beaucoup donné pour effacer du cœur de l'adolescente les causes de son chagrin. Mais comment s'y prendre ? En ces circonstances, les mots ne servent à rien. Sinon à aggraver les choses.

Darcy prit place à l'arrière, à côté de Mélanie. Owen s'installa au volant et démarra.

Drôle d'équipe ! songea Suzanne en son for intérieur. Un rancher silencieux, une journaliste embarrassée, une adolescente éplorée, un bébé gazouillant. Tout ce petit groupe s'apprêtant à dîner ensemble pour la dernière fois.

Mélanie s'agitait dans sa chaise haute. Elle boudait ouvertement son oncle et tendait les mains vers Suzanne pour être prise dans ses bras.

— Je crois qu'elle veut des frites, déclara Darcy.

— A mon avis, elle est fatiguée, diagnostiqua Suzanne. Je vais la prendre dans mes bras.

Quand elle souleva Mélanie, la petite fille enroula ses bras autour de son cou, et posa sa tête sur son épaule. Suzanne se rassit et berça doucement l'enfant contre elle.

— Vous habitez vraiment New York ? demanda Darcy. Vous avez déjà vu des vedettes de la télévision ?

— Quelques-unes...

— Et que pensez-vous de notre ville ?

— Je l'aime beaucoup.

— Et pourtant, vous partez...

Evitant le regard de Owen, Suzanne tapota le dos de Mélanie. Elle craignait de fondre en larmes.

— Oui, dit-elle enfin. Mais j'ai passé ici des jours merveilleux.

Darcy baissa la tête sur son milk-shake. Elle ne sortit de son mutisme que bien plus tard, lorsque son oncle gara le pick-up devant la pension de Grace Whitlow. Comme Mélanie s'était endormie, elle murmura :

— Au revoir. J'espère que vous reviendrez un jour.

— J'ai eu beaucoup de plaisir à faire ta connaissance, répliqua Suzanne avec émotion.

— Je laisse le moteur tourner, intervint Owen à l'adresse de sa nièce. Je reviens tout de suite.

Une fois de plus, Owen raccompagna Suzanne sur le perron de Grace Whitlow. Il l'attira dans la pénombre, et prit son visage entre ses grandes mains.

— Je ne vais pas t'embrasser, chuchota-t-il d'une voix rauque. Je ne pourrais plus m'arrêter.

— Je sais…

Suzanne se blottit quelques instants au creux de ses bras. Puis :

— Tu ferais mieux d'y aller, maintenant.

Les mains posées sur les épaules de Suzanne, Owen secoua la tête d'un air incrédule.

— Les choses ne devraient pas se dérouler de la sorte, dit-il.

Suzanne inspira profondément et leva la tête vers lui.

— Nous savions tous les deux que ça se terminerait ainsi, objecta-t-elle.

— Reste.

Le mot sonna comme un ordre dans le silence de la nuit. « Comme si c'était aussi simple ! » songea Suzanne.

— Je dois rentrer travailler, commença-t-elle, et…

— Epouse-moi.

Eberluée, Suzanne demeura sans voix.

— Epouse-moi, répéta Owen.

Un étrange sentiment de soulagement prit Suzanne de court. Avec difficulté elle articula cependant :

— Mais… nous ne nous connaissons que depuis quelques jours.

— Combien de temps te faut-il ?

La question désarçonna Suzanne.

162

— Je ne sais pas, avoua-t-elle.

— Est-ce que tu m'aimes ?

Une révolution s'opérait en Suzanne. Tout le romantisme qui sommeillait en elle, enfoui sous ses propres cendres, se ravivait soudain. Chaque fibre de son être lui intimait l'ordre de jeter prudence et logique par-dessus bord. D'accepter cette folle proposition.

— Oui, souffla-t-elle.

— Moi aussi, je t'aime.

Suzanne se raccrocha à un lambeau de raison. « L'empêcher de continuer, s'enjoignit-elle. L'arrêter avant de céder à la tentation. »

— Toutes ces histoires de mariages arrangés t'ont tourné la tête ! dit-elle avec une feinte désinvolture.

— Ose me dire que la nuit dernière n'a pas été très spéciale pour toi. Ose me dire que, tout au fond de ton cœur, tu ne souhaites pas rester ici avec moi. Si tu le fais, je ne te retiendrai pas.

Suzanne caressa la joue de Owen.

— Je mentirais si je disais ça, avoua-t-elle. Mais ce que tu me proposes est complètement fou.

Emprisonnant la main de Suzanne, Owen la porta à ses lèvres, et y déposa un baiser fervent.

— Rien n'est fou, à Bliss ! dit-il en souriant. Demain, nous nous présenterons au juge de paix, et nous nous marierons.

— C'est aussi simple que ça ?

— Pendant le festival, oui. Rendez-vous demain à 8 h 30.

— Du matin ?

— Le premier arrivé à la mairie est le premier servi. C'est la loi, pendant le festival.

— Et si tu changes d'avis ? Ou moi ?

Si elle recouvrait la raison, au fil de la nuit ? songea-t-elle sans y croire. Si, au petit matin, elle prenait la direction de Great Falls, au lieu de se rendre à la mairie ?

— Dans ce cas, il faudra l'accepter. Sans rancune. Sans regrets.

— Sans même se dire au revoir ?

— Si tu le veux ainsi…

— Donc, je te retrouve à 8 h 30 à la mairie. *Si* l'un de nous ne change pas d'avis.

— J'y serai, promit Owen.

— Si tu reviens sur ta décision…

— Ma décision est prise.

Sur cette affirmation, il tourna les talons et redescendit les marches du perron. Parvenu sur le trottoir, il pivota sur lui-même.

— C'est toute une famille que tu épouses, prévint-il en désignant son pick-up du doigt. J'ai promis à ma sœur de m'occuper des filles, et je le ferai.

— Je sais…

Owen faillit dire autre chose, mais il se ravisa et ouvrit la portière de sa voiture.

Seule sur le perron, Suzanne frissonna dans le froid. Elle enfouit ses mains dans ses poches et regarda le pick-up s'éloigner.

Comme pétrifiée par le coup de tonnerre qui bousculait sa vie, elle resta de longues minutes immobile. Puis elle poussa la porte de la pension avant de la refermer sur elle.

Il ne lui restait plus qu'à préparer son mariage.

Si telle était vraiment sa volonté.

12.

On ne s'habille pas en noir le jour de son propre mariage !
décréta Suzanne. Mais pas question non plus d'enfiler une robe
de mariée traditionnelle ! Depuis le fiasco de ses épousailles
décommandées, robe blanche rimait à ses yeux avec malchance.
D'autre part, elle n'envisageait pas de prévenir sa famille. Cela
aussi lui porterait malheur. Par pure superstition, elle ne les
mettrait au courant qu'après avoir dit oui devant le juge.

Son cœur se gonfla de bonheur : tous les siens, tous ses
amis, adopteraient Owen sans problème. Ils seraient sous le
charme. Comme elle. Par conséquent, pour le moment, elle
n'avait qu'une préoccupation sérieuse : trouver un vêtement
approprié à la circonstance ! Et pour cela, elle comptait sur
Grace Whitlow. Son unique espoir !

Elle retrouva la vieille dame dans la cuisine. En train de
préparer les muffins du petit déjeuner.

— Bonjour, mon petit ! Servez-vous une tasse de café.
Regardez dehors : il neige de nouveau.

Suzanne tourna la tête vers la fenêtre. Puis elle lança un coup
d'œil à l'horloge de la cuisine. 6 h 30. Tout le monde dormait
encore dans la pension. Ce qui l'arrangeait bien.

— J'ai une faveur à vous demander, commença-t-elle.

Grace Whitlow poursuivait la confection de ses muffins.

— De quoi s'agit-il ? demanda-t-elle.

165

— Ça va vous paraître étrange, mais… auriez-vous un chemisier à me prêter ?

La vieille dame laissa échapper un rire cristallin.

— Mon petit, nous n'avons pas du tout la même taille ! Mais heureusement, j'ai gardé tous mes vêtements d'autrefois. Quelle sorte de chemisier désirez-vous ?

— Quelque chose d'élégant. Je n'ai apporté que des vêtements noirs, et…

Après une seconde d'hésitation, elle se lança :

— En fait… Owen Chase m'a demandée en mariage. Nous avons rendez-vous à la mairie, ce matin.

A cette nouvelle, le visage de Grace Whitlow s'épanouit. Elle se laissa tomber sur une chaise.

— Quand est-ce arrivé ? s'enquit-elle d'une voix palpitante.

Suzanne prit place en face d'elle à la petite table de bois.

— Hier soir. Nous nous retrouvons à la mairie ce matin. Sauf si l'un d'entre nous change d'avis.

— Owen Chase ne change jamais d'avis, déclara Grace d'un ton formel. Il doit être fou de vous, pour avoir pris cette décision.

— Tout cela est complètement dingue, confessa Suzanne. Mais d'un autre côté, ça paraît être la chose à faire. C'est difficile à expliquer.

— Vous l'aimez ?

— Oui.

Grace Whitlow rayonnait.

— Dans ce cas, mettons-nous à l'œuvre ! Je finis mes muffins, et nous montons au grenier. Je dois avoir des tas de choses qui sont redevenues à la mode…

— Merci, dit Suzanne avec gratitude.

Elle nageait en pleine irréalité, partagée entre la peur et un bonheur sans partage.

166

Ella prenait son petit déjeuner en parcourant *La Vie Romanesque,* son magazine préféré. Elle leva un instant les yeux vers la fenêtre, et regarda la neige tomber. Un hiver précoce n'est jamais réjouissant, songeait-elle. Mais comme d'habitude, il y a un bon côté à tout : les enfants du voisinage adoraient faire des bonhommes de neige dans leur jardin.

— Avec ces intempéries, je me demande s'il y a classe, aujourd'hui, murmura-t-elle. Le bus scolaire est en retard.

Louisa leva la tête.

— Pas du tout, rectifia-t-elle. Je l'aperçois au bout de la rue.

En effet, Ella le vit se profiler au coin de Elm Street. Bien trop vite ! constata-t-elle. Au même moment, elle aperçut l'arrière de la voiture de Cameron qui sortait de son allée. Effarée, elle s'exclama :

— Oh non ! Ils vont trop vite tous les deux !

— Qui ? demanda Louisa sans lever les yeux.

Devant le désastre qui s'annonçait, Ella s'époumona .

— Arrête, espèce d'idiot ! Arrête ! Arrête !

Louisa reposa sa tasse de thé et fixa sur sa sœur un regard d'incompréhension totale.

— Qu'est-ce qui te prend ? demanda-t-elle.

Le visage d'Ella se tordit. Son estomac se souleva.

— Appelle le 911, dit-elle d'une voix blanche. Un de tes amoureux vient de monter dans le bus scolaire.

Dix minutes avant l'heure du rendez-vous avec Owen, Suzanne se présenta dans le hall de la mairie. Le vaste corridor était glacial. Elle garda ses gants et son manteau boutonné jusqu'au

167

cou. Elle claquait des dents. A cause du froid ? De ses chaussures trempées ? Ou bien à cause de l'émotion qui l'étreignait ?

Deux autres couples attendaient devant la porte du juge de Paix. A 8 h 30 précises, une jeune femme accorte ouvrit la porte.

— Qui sont les premiers arrivés ? demanda-t-elle en souriant.

Un des deux couples disparut à l'intérieur de la salle des mariages. Suzanne s'assit sur un banc et regarda sa montre. Pourvu que la neige ne retarde pas Owen trop longtemps, songea-t-elle. A 9 heures, un troisième couple se présenta et s'engouffra dans la salle. Suzanne défit son manteau. Son joli chemisier de soie ivoire était déjà un peu froissé, remarqua-t-elle d'un air absent. Vers 9 h 15, elle fut prise de nausée. A 9 h 30, l'humiliation la submergea. A 9 h 35, elle se rendit aux toilettes et vomit.

A 10 heures moins le quart, elle se rafraîchit le visage. Le cœur en charpie, elle regarda la vérité en face : pour la deuxième fois, un homme l'abandonnait au pied de l'autel.

Owen Chase, le cow-boy qui tenait toujours ses promesses, avait changé d'avis. Il n'avait pas tenu parole.

Un sentiment de panique effrénée oppressait Owen. Tenant Mélanie serrée contre lui, il se frayait un chemin difficile dans la foule qui encombrait le hall de l'hôpital. Lorsqu'il aperçut Callie au bureau des entrées, il la héla de loin.

— Callie ! Que se passe-t-il ? Où est Darcy ?

La jeune femme leva les yeux, rencontra son regard et lui fit un signe rassurant de la main.

— Ne t'inquiète pas ! Elle va bien.

— Mais où est-elle ? cria-t-il.

168

— Avec le médecin. Tu pourras la voir dans quelques minutes.

Hors d'haleine, Owen continua à se frayer un chemin dans la foule. Parvenu à la réception, il déposa Mélanie sur le comptoir et reprit haleine.

— Je ne te mens pas, assura Callie. La plupart des gosses sont seulement un peu secoués. Ce sont les parents qui vont le plus mal !

Cela n'étonna pas Owen. Pour lui, le coup de fil du principal du collège de Darcy avait été un choc. Sans faire ni une ni deux, il avait embarqué Mélanie dans son pick-up, et foncé jusqu'à l'hôpital de Barstow. Le trajet lui avait paru interminable. Et maintenant, après un bref soulagement, une nouvelle panique lui donnait la nausée.

— Ça va ? demanda Callie d'une voix inquiète.

Owen se rendit compte qu'il avait fermé les yeux. Il les rouvrit et passa sur son visage une main lasse.

— Ça va, ça va… mais… j'étais censé me marier ce matin…

— Félicitations ! s'exclama Callie. La journaliste est-elle l'heureuse élue ?

— Oui. Si elle n'est pas furieuse contre moi. Où puis-je téléphoner ?

Pour toute réponse, Callie déposa un téléphone sur le comptoir.

— Tiens, répliqua-t-elle. Ensuite, tu me rempliras ces formulaires, pendant que tu attends Darcy.

Entourant Mélanie d'un bras, Owen s'empara du combiné de l'autre main. Puis il s'immobilisa. Où téléphoner ? L'horloge murale indiquait 9 h 45. Suzanne était-elle encore à la mairie ? Avait-elle rejoint la pension de Grace Whitlow ?

— Donne-moi le numéro de téléphone de ta grand-mère, dit-il à Callie.

Il composa le numéro. Occupé. La panique de Owen s'accrut. Antagonistes et puissants, deux désirs contraires le déchiraient : d'une part, l'envie de rejoindre Suzanne au plus vite, elle qui, en ce moment, se croyait sans doute abandonnée sans explication ; d'autre part, son devoir qui lui intimait d'attendre Darcy. La pauvre enfant avait plus que jamais besoin de lui. De son soutien moral et de sa présence physique.

Par-dessus le marché, une désespérante éventualité le taraudait : Suzanne avait-elle, après réflexion, renoncé à l'épouser ? Etait-elle partie prendre son avion à Great Falls ?

Avait-elle choisi de quitter son existence à jamais ?

Hal se pencha à la portière de Suzanne :

— Alors, ma petite dame, on a trouvé un homme ? demanda-t-il d'un air bienveillant.

Suzanne rendit au pompiste un sourire crispé.

— Pas du tout ! Le plein, s'il vous plaît.

Une fois le tuyau placé dans le réservoir, Hal revint à la charge :

— Qu'est-ce qui s'est passé ? Un soir, je vous ai pourtant vue danser de près avec Chase.

Suzanne s'efforça à la légèreté. Une désinvolture aux antipodes de son état d'esprit :

— Il m'a abandonnée au pied de l'autel !

Avec un peu de chance, espéra-t-elle, Hal prendrait cela pour une plaisanterie. De toute façon, elle ne pouvait en dire davantage sans éclater en sanglots.

Hal la regarda attentivement pendant quelques secondes. Puis il se dirigea vers la voiture suivante. Suzanne s'empara d'un mouchoir en papier et s'essuya les yeux. Si seulement elle avait pu quitter la ville en dissimulant son cœur brisé, songea-t-elle. Mais dans le fond, pourquoi avoir honte ? Après tout, ce n'était pas elle qui avait failli à sa parole. *Elle* n'avait rien à se reprocher.

Elle se moucha avec énergie. Etait-elle maudite ? se demanda-t-elle. Depuis ce matin, elle vivait un enfer qu'elle n'aurait pas souhaité à son pire ennemi. Eplorée, elle avait rendu son chemisier à Grace Whitlow, s'était changée, avait payé sa note, et fait promettre à sa logeuse de ne rien raconter à personne. Comme on jette une bouteille à la mer, elle avait passé un coup de fil au ranch. Pas de réponse. Avec une douce insistance, Grace lui avait fait avaler quelques gorgées de thé et un biscuit.

Ensuite, l'estomac noué, Suzanne avait fait ses adieux. Tandis qu'elle embrassait Grace Whitlow, de sombres pensées se bousculaient dans sa tête. Jamais elle n'aurait cru Owen capable de changer d'avis au dernier moment. Cependant, plus elle y songeait, plus cela lui paraissait la meilleure des solutions. En effet, comment Darcy, en plein deuil de sa mère, aurait-elle accepté auprès de son oncle la présence d'une étrangère ? Cela l'aurait sans doute révoltée.

En revanche, lui souffla une petite voix, elle aurait beaucoup adouci le sort de Mélanie, qui avait un criant besoin d'une mère...

Bouleversée, Suzanne s'interdit de penser plus longtemps au bébé. Le destin se montrait parfois trop cruel.

— Ça fera vingt-neuf dollars tout rond, dit Hal en refermant le réservoir de Suzanne.

Elle s'essuya les yeux et lui tendit sa carte de crédit. Tout à coup, les choses lui parurent simples : elle s'était trompée sur le compte de Owen. Il n'était sans doute pas l'homme bon et aimant pour lequel elle l'avait pris. Eh bien tant pis ! Au diable Bliss et son romantisme de pacotille ! Un seul programme valable s'imposait désormais : retourner à New York. Y retrouver sa vraie vie. Ne plus jamais faire confiance à un homme.

Ella composa en hâte le numéro de téléphone de Grace Whitlow. Dès que son amie décrocha, elle hurla presque dans le combiné :

— Hal vient de me téléphoner. Suzanne Greenway est en train de prendre de l'essence. Pour quitter la ville ! Tu ne m'avais pas dit qu'ils se mariaient ce matin ?

Les épaules de Grace s'affaissèrent. Elle poussa un profond soupir.

— Si. Mais Owen ne s'est pas présenté à la mairie. En conséquence, Suzanne est partie.

— Mais… tu ne pouvais pas la retenir ?

Ella était au comble de l'exaspération. Le monde devenait fou ! fulminait-elle. D'abord, cet accident, provoqué par ce benêt de Cameron. Ensuite, Grace, incapable de régler seule le plus petit problème. A qui se vouer, dans ces conditions ?

Louisa passa la tête par la porte entrebâillée de la cuisine.

— Que se passe-t-il ? Ils ne se sont pas mariés ?

— Non ! siffla Ella. Owen ne s'est pas présenté, et Suzanne rentre chez elle.

Puis elle reprit sa conversation avec Grace :

— Je mets le haut-parleur, pour que Louisa entende ce que nous disons. Pourquoi n'as-tu pas retenu Suzanne ? demanda-t-elle de nouveau.

A l'autre bout du fil, Grace renifla discrètement, et se défendit.

— J'ai fait de mon mieux… Je lui ai préparé du thé et des biscuits. Ensuite, je l'ai convaincue de téléphoner au ranch. Hélas, personne n'a répondu. Où Owen est-il passé ? Nous savons toutes qu'il aime Suzanne. Missy est avec moi, et nous essayons toutes les deux de comprendre ce qui a pu se produire.

— Le car scolaire ! s'écria Louisa. Darcy se trouvait-elle dans le bus que Cameron a heurté ?

— C'est possible, rétorqua Ella.

— Quoi ? cria Grace à l'autre bout du fil.

— Cameron est rentré dans le bus scolaire, émit Ella d'une voix excédée. Son allée était verglacée, la route aussi. En plus, le chauffeur du car roulait trop vite.

— Tous les élèves ont été conduits à l'hôpital de Barstow, insista Louisa.

Un indicible soulagement s'empara de Grace.

— Tout s'explique ! Owen se trouve à l'hôpital ! Oh ! Pauvre Suzanne…

L'esprit pratique d'Ella coupa court aux lamentations de Grace.

— Suzanne est encore à la station-service. Il faut faire quelque chose ! Et vite !

— Excusez-moi, mademoiselle, dit Hal pour la quinzième fois. Je ne sais pas ce qui se passe avec notre sabot pour cartes de crédit…

Suzanne tendit au pompiste trois billets de dix dollars :

— Je vous ai déjà dit que je pouvais payer en liquide…

— C'est une affaire de quelques minutes, protesta Hal. Le gars s'en occupe. Votre carte a été débitée, mais le reçu ne sort pas. Donc, vous ne pouvez pas le signer.

— Je comprends… mais j'aurais pu payer en liquide, répéta patiemment Suzanne.

— Pas question ! Ça vous ferait payer deux fois. Garez-vous sur le côté pour libérer la pompe.

Suzanne s'exécuta. Pour tuer le temps, elle regardait passer voitures et camions. La route semblait glissante. L'idée de se rendre à Great Falls sur une chaussée pareille ne lui disait rien qui vaille. Avec un peu de chance, l'autoroute serait sans doute dégagée et sablée ? spéculait-elle.

Au bout d'un moment, Hal frappa à sa vitre, et lui tendit le reçu. Elle le signa, remercia le pompiste et le salua.

— Pas si vite, ma p'tite dame ! protesta-t-il. Certaines personnes souhaitent vous parler.

Puis, se penchant à l'oreille de Suzanne, il chuchota :

— Vous ne croyiez tout de même pas qu'on allait vous laisser tomber ?

Intriguée, Suzanne ouvrit sa portière. Ce qu'elle vit alors lui fit monter les larmes aux yeux. Quatre vieilles dames aux cheveux blancs descendaient avec peine d'une berline, et se dirigeaient dans sa direction. Elle éteignit le moteur de sa voiture, en sortit et s'avança précipitamment vers le quatuor branlant. Moins elles auraient de chemin à parcourir sur le sol glissant, mieux cela vaudrait ! songeait-elle avec tendresse.

Ella s'avançait en tête, la plus ferme dans ses bottes noires. Les trois autres trottinaient derrière à petits pas.

— J'ai oublié quelque chose ? s'enquit Suzanne.

— Vous avez oublié votre époux, déclara Ella sans ambages.

Louisa rejoignit sa jumelle en soufflant.

— Nous savons où il se trouve, haleta-t-elle.

— Je suis certaine qu'il avait la ferme intention de vous rejoindre à la mairie, ajouta Missy. Owen Chase tient toujours parole.

Grace opina de la tête.

— Le mystère est résolu ! assura-t-elle. Dès que nous mettons la main sur Owen, le mariage peut avoir lieu !

Un long frisson glacé parcourut l'échine de Suzanne.

— Il vaut mieux que je parte, dit-elle d'une voix brisée.

— Ça vaut mieux pour qui ? demanda une voix masculine.

Toute la troupe se retourna d'un bloc. Owen Chase s'approchait. Pâle, les traits tirés. La bouche pincée comme pour encaisser un mauvais coup.

Décidément, il n'était pas aisé de quitter Bliss inaperçue !

— Pour tout le monde, rétorqua-t-elle. Que fais-tu ici ?

Les vieilles dames se retiraient sur la pointe des pieds. Pour se donner une contenance, elles agitaient la main en direction de Darcy et Mélanie, demeurées dans le pick-up.

Le regard de Owen affronta celui de Suzanne.

— Je reviens de Barstow, expliqua-t-il. J'ai aperçu ta voiture, toi-même et nos vieilles amies. Que se passe-t-il ?

Suzanne se raidit. Pas question de montrer son désespoir, s'enjoignit-elle. Ne pas verser une seule larme !

— Je pars, annonça-t-elle d'un air qu'elle voulait hautain et froid.

Owen se rapprocha d'elle.

— Sans me laisser l'occasion de m'expliquer ? demanda-t-il.

— Tu avais le droit de changer d'avis…

— Je n'ai pas changé d'avis ! gronda Owen. Et toi ?

Malgré elle, Suzanne sentait les larmes lui gonfler les yeux.

— Je t'ai attendu plus d'une heure, avoua-t-elle. Où étais-tu ?

— C'est tout de ma faute, je le jure ! cria Darcy depuis la voiture. Oncle Owen, explique-lui pour le car, et ramène-la à la maison avec nous !

— C'est ça, intervint Ella. Parle-lui du car scolaire, Owen.

Ignorant conseils et exhortations, Owen suivit son instinct. Il attira Suzanne contre lui et la serra sur son cœur.

Les fermes résolutions de Suzanne tombèrent à ses pieds comme des guenilles. Sans doute aurait-elle dû prendre ses jambes à son cou et se sauver, songea-t-elle. Mais contre son corps, elle sentait celui de Owen. Grand. Fort. Chaud. Tout ce qu'elle souhaitait depuis toujours.

— Excuse-moi, lui souffla-t-il à l'oreille. Il y a eu un accident et…

— Quoi ?

Owen l'étreignit encore plus fort.

— Tout est rentré dans l'ordre, maintenant, la rassura-t-il. Mais j'ai raté notre mariage… j'en étais malade.

Ella, qui se tenait tout près pour ne rien manquer de la scène, intervint.

— Vous avez jusqu'à midi…

— Nous pourrions tous y aller ensemble, ajouta Darcy qui s'approchait. Comme dans les vrais mariages en famille.

A ce moment-là, Suzanne prit conscience du fait que la tête de l'adolescente était ceinte d'un bandage. Elle frémit.

Les lèvres de Owen effleurèrent la bouche de Suzanne.

— Nous aurons un vrai mariage, murmura-t-il. Et une vraie lune de miel. Crois-moi.

— Comme c'est romantique, soupira Louisa d'un air attendri.

— Je t'aimerai toujours, poursuivit Owen d'une voix rauque.

Les larmes aux yeux, Suzanne reconnut :

— Je t'aime, moi aussi.

A ces mots, l'auditoire indiscret qui entourait le couple soupira d'aise.

— Rendons-nous donc à la mairie… avant que nous ne mourions tous de froid ici !

Owen se pencha vers Suzanne et l'entraîna dans un baiser. Un baiser merveilleux. Chaud, intime, passionné. Une vraie promesse de bonheur.

Quand elle reprit enfin sa respiration, Suzanne regarda autour d'elle. Tous les visages étaient radieux. Les vieilles dames ne

176

cachaient pas leur intense satisfaction. Darcy prit les mains de Mélanie entre les siennes, et les fit applaudir.

Emue, Suzanne secoua la tête et déclara :

— Nous sommes tous complètement fous !

Mais, ivre de bonheur, elle leur sourit à travers ses larmes.

13.

Missy renifla discrètement. Elle sortit de son sac à main un paquet de mouchoirs en papier et les distribua alentour.

— J'aime tellement les mariages, murmura-t-elle.

Louisa laissait les larmes couler le long de ses joues rebondies. Grace essuyait les siennes d'un geste furtif.

— Nous aimons toutes les mariages, acquiesça Ella.

Un coup d'œil critique à ses amies la confirma dans ses certitudes : des quatre membres de leur club de vieilles dames, elle était la seule à ne pas se laisser dominer par ses émotions. Pas de sentimentalité de mauvais aloi ! En revanche, un sentiment de triomphe la gagnait. La satisfaction du travail bien fait. La confiance dans le succès des prochains mariages qu'elle avait en vue.

Pourquoi pleurer, en effet ? se demandait-elle en observant ses amies sans les comprendre. Darcy, souriante et détendue, tenait dans ses bras Mélanie, qui tendait ses menottes vers son oncle. Que demander de plus ?

— Lou, murmura-t-elle en se penchant vers sa sœur, arrête de renifler, et maîtrise-toi !

Haletante, sa jumelle répliqua :

— Je ne peux… m'empêcher… de pleurer. C'est magnifique, tu ne trouves pas ?

— Mon Dieu…, soupira Ella, exaspérée.

Suzanne et Owen ayant prononcé leurs vœux, le juge de paix les déclara mari et femme. L'assemblée applaudit. Ella regarda le rancher se pencher vers Suzanne et l'embrasser. Les bottes du marié étaient trempées, ses cheveux en broussaille. La mariée était en noir, et la demoiselle d'honneur portait un bandage autour du crâne. L'ensemble ne manquait pas d'allure ! sourit Ella en son for intérieur. Bien sûr, elle aurait préféré une mariée plus traditionnelle. Mais le destin ne l'avait pas voulu ainsi. Il restait à souhaiter au nouveau couple de vivre heureux ensemble en harmonie matrimoniale. Dans la vraie tradition de la ville de Bliss.

Quant à elle, elle savait parfaitement ce qu'elle avait à faire. Dès demain, elle réunirait ses amies. Autour d'une tasse de thé, elle développerait les idées qu'elle mûrissait dans sa tête à propos de Gabe Brown et Calder O'Connor, deux hommes qui avaient un besoin urgent de se ranger et de prendre femme.

Ella se rengorgea intérieurement lorsque Owen Chase déposa sur chacune de ses joues un baiser sonore en la remerciant de ce qu'elle avait fait pour lui.

— Je vous dois une fière chandelle ! dit-il d'un ton appuyé.

Elle se sentit aux anges. En fait, elle adorait les histoires qui se terminent bien.

Avant-première

RED DRESS INK

La collection des citadines branchées

Tournez vite la page
et découvrez en exclusivité
un extrait du roman
Célibataire à New York
de Melissa Senate

Célibataire à New York, une comédie
détonante à lire de toute urgence !

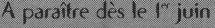

A paraître dès le 1ᵉʳ juin

Ce titre n'est pas disponible au Canada

1.

D'après *Cosmopolitan*, le magazine branché, l'inénarrable Howard Stern et… tante Ina, il existe à New York mille et une vieilles recettes pour trouver l'âme sœur… sans avoir à embrasser cinquante crapauds. Ni risquer de passer la nuit avec un tueur en série. Ou, pire encore, se caser avec le premier venu.

Mais avec *moi,* rien ne marche. Je tomberai raide morte, seule-avec-mon-plateau-télé, terrassée par la déprime du samedi soir, avant même d'avoir pu embrasser mon sixième crapaud !

Toujours célibataire à vingt-huit ans ! Mais *pourquoi* ?

J'entends d'ici les réponses. Ma copine Amanda, par exemple : « Mais enfin, Jane, tu n'as pas besoin d'un petit ami pour être heureuse. » Et elle alors ? Elle ne l'est pas, heureuse, avec *son* petit ami ?

Et Gwen, ma patronne (qui lui a demandé son avis d'ailleurs ?) : « L'amour, c'est quand on ne le cherche plus qu'on le trouve. » Ben voyons… On ne me l'avait jamais faite, celle-là !

Eloise : « Tu es trop exigeante. Remarque, c'est tout à ton honneur. » Sans commentaire.

Et Dana, ma cousine, plus jeune que moi et déjà fiancée : « Sois positive. Ton problème, c'est que tu vois tout en noir. » Quand on la connaît, on croit rêver…

Cosmo : « Il faut déballer tout ce qui ne va pas. » Quoi, par exemple ? Que je n'ai pas toute la panoplie des Wonderbra ?

Moi : « J'aurai beau suivre tous ces conseils, rien n'obligera celui sur lequel je flashe à m'aimer aussi. Ni même à m'accorder un second rendez-vous. »

Et tante Ina, c'est quoi déjà sa recette pour que je trouve l'homme de ma vie ? Mais oui, bien sûr, « ce jeune homme tout à fait charmant » qu'elle a rencontré dans le hall de l'immeuble de ma grand-mère. Il allait vider sa poubelle et… Mais j'aime autant la laisser vous raconter ça elle-même, puisqu'elle me hurle dans l'oreille depuis vingt minutes…

— Jane, ce n'est qu'un rendez-vous, me répète-t-elle en augmentant les aigus. Tu es invitée à un mariage, tu danses un peu, tu bavardes… et tu te retrouves avec trois cent mille dollars ! Ça ne vaut pas le coup d'accepter ce malheureux rendez-vous pour ta grand-mère ? Et pour moi ? Et l'argent, qu'est-ce que tu en fais ? Oh, et puis après tout, fais ce que tu veux.

Sa voix est maintenant si stridente que je suis obligée d'éloigner le sans-fil de mon oreille. Mais je connais la suite par cœur :

— Très bien, Jane, reste célibataire. Ne te marie pas. Et tu finiras toute seule, comme ta grand-tante Gertie (paix à son âme !). Et moi qui ai promis à ta pauvre mère (paix à son âme !) de prendre soin de toi… Quand je pense qu'elle a travaillé toute sa vie pour t'élever après la mort de ton père… Le pauvre, mourir si jeune ! Et puis après tout, qu'est-ce que tu ferais de trois cent mille dollars ?

Alors là, *touché* ! Eh oui, ma chère, ma très chère tante toujours aussi culpabilisante, tu as touché un point sensible. J'en ai vraiment besoin de ce fric. Un loyer de sept cent soixante dollars par mois, c'est super bon marché pour New York… à peine le quart de mon salaire brut. Tous les magazines vous le confirmeront, *Mademoiselle*, *Glamour*… et même le *Journal de Wall Street*, c'est le prix à payer pour se loger.

En plus, ça fait six ans que je dors sur le même futon miteux, depuis que j'ai quitté la chambre d'amis de tante Ina pour m'installer à Manhattan, juste après mes examens. Avec la coquette somme de trois cent mille dollars à la banque, je pourrais enfin me payer un vrai canapé-lit. Le futon, c'est ma tante qui me l'a offert. Elle a sauté sur l'occasion – mon nouvel appartement et ma réussite aux examens – pour me faire un cadeau. Je me souviens de la tête qu'elle a faite en découvrant mon minuscule studio de 3 mètres sur 6. Elle a froncé ses yeux bleu clair éternellement soupçonneux, comme si la pièce était emplie de cafards et de rats, puis s'est empressée de commander des barreaux anticambriolage sur mesure pour la fenêtre de secours, et de téléphoner à l'entreprise de dératisation la plus proche.

Qu'est-ce que je pourrais bien faire d'autre de ce pactole ? Je sais ! Me relooker immédiatement : jeter aux ordures mes vieilles fripes et foncer chez DKNY en brandissant ma carte Gold. Je rêve de DKNY, c'est le top de l'élégance ; la marque des jeunes dynamiques et branchés. Mais c'est aussi un véritable gouffre pour mon misérable salaire…

— Jane Gregg, tu m'écoutes quand je te parle ?

Et tante Ina de pousser un profond soupir comme elle seule en a le secret.

Je m'aperçois que je suis en train de baver devant le paquet de Marlboro Light qui me nargue, là, sur la table, devant le canapé. Je meurs d'envie d'une cigarette, mais ma pauvre tante en aura une attaque si elle m'entend inhaler la fumée, et je l'aime trop pour la décevoir. Pour tout dire, elle ne sait pas que j'ai recommencé à fumer. En fait, je n'ai arrêté qu'une journée… il y a six mois. Mais évidemment à l'époque je n'avais pas pu m'empêcher de me vanter auprès d'elle de cet exploit. Jamais je ne l'avais vue aussi heureuse, sauf pour les fiançailles de Dana, sa fille, il y a deux ans. Comment lui dire que mon statut d'ex-fumeuse n'a duré que sept heures ?

— Oui, oui, je t'écoute… Tante Ina, j'aurais bien voulu le rencontrer, ce garçon, mais en fait je sors avec quelqu'un en ce moment…

« Menteuse. Tu n'es qu'une grosse, une horrible menteuse. »

— … et ce ne serait pas du tout correct de sortir avec quelqu'un d'autre… Mais non, tu ne le connais pas... Non, je ne t'en dirai pas plus, ça porte malheur… Mais oui, il est gentil, et arrête de t'inquiéter pour l'argent de Mamie. Elle ne va tout de même pas me déshériter parce que je ne veux pas aller au mariage de Dana avec son ringard de voisin. De toute façon, ce n'est pas mon type, d'accord ?

— Elle a un rendez-vous !

Ma tante adore faire l'écho, répéter ce qu'on dit à la troisième personne.

— Ce n'est pas son type !

Je l'imagine en train de secouer sa tignasse rousse.

— Mais qu'est-ce que tu en sais ? Tu n'as jamais rencontré Ethan. Il n'est pas du tout ringard ! C'est un jeune homme tout à fait charmant et, en plus, il a une très belle situation. Pas comme ces excentriques gominés et prétentieux avec lesquels vous sortez, toi et tes amies maigrichonnes. C'est un Texan, et là-bas on sait respecter les jeunes femmes. Oh, et puis pourquoi user sa salive pour rien ? Tu as raison, Jane, reste vieille fille jusqu'à la fin de tes jours !

J'essaye de me représenter Ethan Miles, l'Incinérateur, l'Homme-qui-valait-trois-cent-mille-dollars. Il ne doit pas ressembler à Brad Pitt ni à aucune autre de ces bombes sexuelles adulées des foules. D'accord, moi non plus je ne suis pas une bombe. Et ce n'est pas demain que je vais gagner le concours Miss New York. Mais au moins personne ne dit de moi : « C'est une jeune fille tout à fait charmante. » Franchement, on sait tous ce que ça signifie…

En plus, Ethan Miles habite dans le Queens. Mon Dieu ! Juste à côté de ma pauvre grand-mère arthritique de soixante-seize ans, dont il n'est séparé que par une simple cloison. Peut-on vraiment épouser un homme qui habite dans le Queens, et dans un quartier de vieux ? Et en plus, un Texan ! Si vraiment c'est un beau parti, pourquoi n'habite-t-il pas à *Manhattan* ?

C'est vrai, Mamie a hérité trois cent mille dollars de sa sœur Gertie, une vieille fille. Et tante Ina se fait du mouron. Elle a peur que Mamie, veuve de longue date, ne nous déshérite Dana et moi parce que nous n'allons pas la voir assez souvent. Mamie voudrait bien que nous lui consacrions tous nos dimanches à papoter autour de sandwichs au *pastrami*, d'une salade de pommes de terre et de quelques biscuits. Sans oublier les sacro-saints récitals de piano dans le living ! Seulement voilà, ce programme ne m'emballe pas, et c'est bien mon seul point commun avec ma cousine Dana, la fille unique de tante Ina. Dans les réunions de famille, Dana prend un malin plaisir à dire à tout le monde qu'à cause de ma langue de vipère je finirai vieille fille et qu'en plus je serai rayée du testament de Mamie. Là-dessus sa mère y va généralement de son éternel couplet sur la vie qui m'attend, seule, avec mes malheureux vingt-six mille dollars de salaire.

Ce que tante Ina n'a pas l'air de comprendre, c'est que j'ai un super plan. Et que même s'il échoue misérablement, j'ai quand même droit à une augmentation de quatre pour cent d'ici trois mois. En ajoutant ma prime de fin d'année de cinq pour cent, j'aurai gagné un peu plus de vingt-huit mille dollars sur l'année. Pas mal, non ? D'après ma copine Amanda, pour bien gérer sa carrière il faut que les premiers chiffres du salaire correspondent à l'âge. C'était mon cas : *vingt-huit* ans, *vingt-huit* mille dollars. Encore que… J'aurai bientôt vingt-neuf ans. En février.

Chère lectrice,

Vous nous êtes fidèle depuis longtemps?
Vous venez de faire notre connaissance?

C'est pour votre plaisir que nous avons
imaginé un rendez-vous chaque mois
avec vos auteurs préférés, vos
AUTEURS VEDETTE dans les
collections Azur et Horizon.

Les AUTEURS VEDETTE vous
donneront rendez-vous pour de
nouveaux livres vedette.

Pour les reconnaître, cherchez
l'étoile ... Elle vous guidera!

Éditions Harlequin

COLLECTION
HORIZON

Des histoires d'amour romantiques qui
vous mènent au bout du monde!

Découvrez la passion et les vives
émotions qu'apportent à la Collection
Horizon des auteurs de renommée
internationale!

Captivantes, voire irrésistibles, ces
histoires d'amour vous iront
assurément droit au coeur.

Surveillez nos quatre nouveaux titres
chaque mois!

69 L'ASTROLOGIE EN DIRECT
TOUT AU LONG
DE L'ANNÉE.

(France métropolitaine uniquement)
Par téléphone 08.36.68.41.01
0,34 € la minute (Serveur SCESI).

Composé et édité
PAR LES ÉDITIONS HARLEQUIN
Achevé d'imprimer en avril 2003

BUSSIÈRE
GROUPE CPI

à Saint-Amand-Montrond (Cher)
Dépôt légal : mai 2003
N° d'imprimeur : 31629 — N° d'éditeur : 9884

Imprimé en France